Drömälskaren

KATRINA VINCENZI

Drömälskaren

översättning
BRITT-MARIE THIEME

XSTORY

info@xstory.se
www.xstory.se

I Rosa serien på Xstory finns sedan tidigare även
Fallen ängel (2007)
Utmaningen (2007)

Originalets titel Dream Lover
Ursprungligen publicerad i Storbritannien av
Virgin Publishing 1994
Tidigare utgiven i svensk översättning av
Bokförlaget Spegeln 1996
Copyright © Katrina Vincenzi 1994
Översättningscopyright © Britt-Marie Thieme 1996
Denna utgåva Copyright © Bokförlaget Xstory 2007
"Published by arrangement with Virgin Books Ltd and
Tönnheim Literary Agency, Sweden"
Omslag Conny Lindström
Omslagsfoto Uwe Krejci/Getty Images
Tryckt 2007 hos ScandBook AB, Falun

ISBN 978-91-85683-06-2
ISSN 1654-0751

*Observera att denna text beskriver fiktiva sexuella situationer.
I verkliga livet bör man vara noga med att utöva säkrare sex.*

1

*Gem, raring, strålande nyheter! Alexei Racine ska re-
gissera Vampyrberättelser! En blixt från klar himmel,
men Megalith avgjorde att Bob Ryder inte var djup
nog ... Börjar tidigt i jan, som planerat. Nu sticker vi
till Barbados! Ha en strålande semester i ditt mysiga
lilla krypin i Bretagne! Felice Navidad och så vidare!
Kram, Sy*

Gemma de la Mare satt vid sitt skrivbord och läste
misstroget igenom brevet för tredje gången.

Utan framgång försökte hon skingra tankarna
genom att fokusera på små, irriterande detaljer: Sys
retfulla ovana att kalla henne Gem, ädelsten, i stäl-
let för Gemma. Hans typiska, överdrivna användning
av ordet "strålande". Överflödet av utropstecken.
Den tillgjorda helgönskningen ... för tusan, sa ingen
människa God Jul längre? Det var nästan lika illa som
ciao ... Och efter sex månaders förberedelser kunde Sy
inte ens få den förbaskade filmens titel rätt. Den hette
"Vampyrens berättelser", inte "Vampyrberättelser".

Men det hjälpte inte. Misstron övergick i vrede,
vreden svällde till raseri, och raseriet till ursinne. Utan
att tänka sig för gnagde Gemma på en perfekt nagel,
skavde sönder det jämna, röda lacket som gick i färg
med hennes skor, och rasade inombords.

Alexei Racine skulle alltså regissera.

Nervöst plockade hon med det ena av sina stora pärlörhängen i barockstil och fortsatte att bita på nageln tills lacket reducerats till ett kraterlandskap.

Alexei Racine.

De hade aldrig träffats. Han var en av de få personer som hon mer än gärna avskydde enbart på grund av hörsägen. I den incestuöst lilla, europeiska filmvärlden var han ökänd. En legend. Han var en omättlig kvinnokarl. Han var bög. Han var ett sadistiskt geni. Han satt fast i sprit och kokain. Han var tyranniskt puritansk. Han var ryss. Han var fransman. Han var äckligt rik. Han höll sig nätt och jämnt vid liv mellan filmerna.

Ett enda faktum förblev oförändrat i allt skvaller: Det var ett helvete att arbeta med honom.

Hon hade sett fram emot att producera filmen åt Bob Ryder, en vänlig man med orubbligt lugn. Hon hade sett fram emot att få jobba med "Vampyrens berättelser", en erotisk omarbetning av en gammal klassiker. Men nu stod hon plötsligt inför sex månader av ren tortyr.

Mekaniskt började hon städa på skrivbordet, lägga de redan jämna pappersbuntarna i räta vinklar mot det fläckfria underlägget som helt onödigt skyddade ytan på det ultramoderna bordet.

Alexei Racine.

Jaha, jävligt god jul, tänkte hon. På autopilot bläddrade hon igenom resten av posten, ringde tre oviktiga samtal och skrev under olika papper – bland annat tillstyrkte hon helt oavsiktligt en ansökan om tre veckors semester från Jane, produktionsassistenten, och gav sitt tillstånd till en ökning av kafeterians budget. Hon vaknade inte upp ur ursinnets röda dimma förrän hon upptäckte att hon höll på att gå med på en absurd begäran från filmteamet om en ny och fullkomligt onödig utrustningsdetalj.

"Fan också!" sa hon högt, helt ur gängorna.

För ett ögonblick funderade hon på att ringa Sy eller Zippo, studiocheferna, men avfärdade tanken. I teorin innehade hon som producent en maktposition och var ansvarig inför direktörer, investerare, manusförfattare och skådespelare. I teorin borde det ha varit hon som tillsatte regissören. Men maktbasen hade förändrats något sedan Megalith, ett amerikanskt investerings- bolag, hade blivit involverat i Horror Inc och börjat visa musklerna.

Jane sköt just upp dörren med axeln men hejdade sig och gjorde stora ögon. Hon hade precis tyckt att hon hörde Gemma ... ja, svära. Men ögonblicket där- på var hon säker på att hon hade misstagit sig. Hennes chef var som vanligt lugn och samlad, en uppenbarelse av upphöjd elegans i en marinblå Chanel-dräkt som gick i färg med hennes ögon, och inte ett hårstrå låg fel i det fantastiska, tjocka, silverblonda håret.

"Hej, Gemma! Jag trodde inte du skulle vara här. Nästan alla har gått redan. Vill du ha något? Kaffe, te – eller mig?"

Gemma log lite åt det gamla skämtet. Jane var glatt och öppet lesbisk, kanske bisexuell, och en bild av slarvig sensualism i punkigt svart läder. Hennes svarta hår stod rakt upp i taggar, och hennes orimligt långa örhängen var formade som kroksablar.

"Ingenting, tack. Jag kom bara hit för att städa skrivbordet och se över ett par saker."

Gemma såg ner på papperen och upptäckte det söndergnagda nagellacket. Diskret stack hon in fingret under brevet från Sy.

"Jaså, du har fått Sys bomb?" sa Jane och satte sig på skrivbordskanten. "Vad tycker du? Alexei Racine, va? Det är ju inte klokt! Hörde du det där om den franska aktrisen i hans senaste film? Det sägs att ..."

"Han är en lysande regissör", sa Gemma lugnt. "Det blir nog en riktig utmaning för oss allihop att jobba med honom."

"Utmaning! Du tar då till i underkant. Jag har hört att hon aldrig mer kommer att ..."

"Sådant skvaller är meningslöst, destruktivt och ytterst oproffsigt", avbröt Gemma förebrående men undrade i sitt stilla sinne över den franska skådespelerskans öde.

"Och vad säger du om Megalith då?" fortsatte Jane oförtrutet. "Vem är det som bestämmer här nu för tiden egentligen? Är det inte rätt konstigt att ..."

"Nej", sa Gemma och tittade på klockan.

"Okej, okej." Jane erkände sig besegrad. Hon hade inte väntat sig att få ur Gemma någonting, men det var ändå värt ett försök. "Du ska till Bretagne, eller hur? När sticker du?"

"Planet går klockan elva", svarade Gemma. "Så jag ger mig av snart. Här finns ingenting som inte kan vänta till efter helgerna."

"På tal om helger ...", började Jane och tänkte på sin semesteransökan.

"Nej", svarade Gemma igen. "Beklagar, Jane."

"Tja, man får väl i alla fall försöka", sa Jane och ryckte filosofiskt på axlarna. "Ha det så roligt, och *Buon Natale!*"

Gemma suckade. *"Felice Navidad,* Jane."

I Paris strosade Alexei Racine över Place Pigalle och njöt av den friska decemberluften, det mjuka, grå skymningsljuset och åsynen av de omväxlande skumma och skrikiga sexklubbar som kantade boulevarden mot Moulin Rouge och som höll på att öppna för kvällen. Om han hade varit den sortens man som visslar eller gnolar eller skramlar med småpengar i fickan för att uttrycka belåtenhet med tillvaron, skulle han ha gjort alla tre sakerna. Men det enda synliga tecknet var skuggan av ett leende i hans ansikte medan han avsmakade sina tankar och den heta atmosfären på Pigalle.

På dagen skilde sig inte Pigalle stort från andra torg i Paris. Butiker, kaféer, bistron, snabbmatshak, till och med en förvånansvärt bra restaurang i gathörnet. Detta förändrades dock så snart mörkret föll. Neonljus i skärt och grönt blixtrade till liv i grälla och braskande skyltar som ropade ut sex till salu. Mörkhyade män kom ut ur dunkla dörröppningar och bjöd, lockade och hetsade turister och förbipasserande att stiga in. Upplysta affischer i naturlig storlek av nakna män och kvinnor i varje tänkbar kombination och ställning, samt några ganska otänkbara, attackerade sinnena med påstridig trägenhet.

Racines eleganta men vagt olycksbådande gestalt i svart, nästan fotsid yllerock och mjuk, svart, bredbrättad hatt som skymde ansiktsdragen, varken smälte in i miljön eller skar sig mot den.

Han stannade till vid en skyltning som av någon outgrundlig anledning fångade hans uppmärksamhet. Framför sig såg han en naken, svarthårig kvinna med brett särade ben och könshåret som en smal, mörk strimma mot hennes osannolikt vita hud. Hennes bröst var stora och runda, bröstvårtorna bruna och utskjutande. En slank kvinna med svallande, silverblont hår stod på knä framför henne med ansiktet begravt mellan hennes lår.

Skickligt foto, erkände han, något utöver det vanliga. Där fanns en känsla av rytm och rörelse, som om den mörka kvinnan nästan vaggade med höfterna, spände musklerna, strävade mot utlösning. Han kunde riktigt se den blonda kvinnans tunga fladdra över de hala, skära vecken.

"Du kan få dem efter föreställningen om du vill", framkastade araben som stod i dörröppningen. "Men det kostar extra."

Det var håret, avgjorde Racine utan att ta någon notis om araben. Det böljande svallet av silverblont hår som smekte kvinnans rygg och nådde nästan ner till midjan ... det påminde honom om Gemmas hår. För ett ögonblick såg han henne naken, knäböjande framför en annan kvinna enligt hans anvisningar, i färd med att utforska en kvinnas mjuka veck med tungan. Det var en sådan absurd bild av den iskallt behärskade Gemma de la Mare att han nästan hade lust att skratta. I stället kände han att han styvnade.

Impulsivt stack han åt araben en handfull francs och sköt undan den vajande, svarta ridån som dolde entrén. Då hans ögon vant sig vid mörkret fann han att han stod ensam i ett litet rum, och de två kvinnorna satt lojt och hängde bakom en glasruta. Helt kort undrade han om de kunde se honom. Han visste att en del kvinnor föredrog den illusoriska anonymiteten bakom glas som var ogenomskinligt åt ena hållet, medan andra njöt av att iaktta männen som betalade för att iaktta dem.

När hans blick mötte den mörkhåriga kvinnans förstod han instinktivt att hon hade sett honom. Den blonda hade ryggen åt honom. Någon osynlig signal fick henne att knäfalla framför den andra kvinnan, som hade rest sig.

Silverblont hår sopade mot golvet när hon böjde huvudet mot den mörkas kön och slickade undan den tunna randen av mörkt könshår.

Racine insåg att han hade väntat sig något annat, någon sorts uttråkat och mekaniskt förspel, något vanemässigt preludium. Men detta var snabbt och säkert och girigt, nästan chockerande.

Han inriktade sig på den knästående kvinnan. I det starka ljuset föreföll hennes hud overkligt vit, och hennes hår var en bländande fors som fångade ljuset när hon rörde huvudet fram och åter och tungan osedd smekte den andra kvinnans kropp. Han tänkte på Gemma, och hans upphetsning tilltog. Det bultade hårt i hans styva lem.

Sedan vände kvinnan en aning på huvudet och han såg hennes profil för ett ögonblick. En liten trubbnäsa som pekade uppåt. Inte de rena linjerna hos Gemmas profil. Hans upphetsning avtog och han vände sig bort, medan han vämjdes lite över sig själv och över Paris. Han skulle resa därifrån i kväll, bestämde han.

Snabbt gick han ut på gatan igen och struntade i arabens förvånade invändningar.

I en luxuös våning i Paris exklusiva 16 *arrondissement,* inredd i vitt och guld, suckade Gabrielle de Sevigny njutningsfullt när hon kände sin älskares mun slutas över hennes bröst. Leo hade kommit sent i dag och skyllt på ett oväntat affärsmöte förutom den eviga, förfärliga trafiken, men hon kunde aldrig vara säker på honom. Det hade emellertid börjat gå upp för henne att han blev eggad av hennes frustrering.

Hon hade varit våt och redo för honom i timtal, med kroppen brinnande av minnen från deras förra natt tillsammans och hungrande efter mer. Och Leo, som var sval, urban och utsökt hövlig, hade inte märkt det – eller inte låtsats märka det. Han hade tagit emot drinken hon motvilligt erbjudit, och han hade småpratat om den senaste regeringsskandalen, om gemensamma bekanta, om det senaste skvallret, tills hon ville skrika högt av förtrytelse.

Han var den mest spännande älskare hon någonsin haft.

11

Hon hade varit förlorad ända sedan första gången han tagit henne, hårdhänt, vårdslöst, ivrigt, knapphändigt dold bakom ett buskage på ett av hennes egna exklusiva gardenpartyn. Ingen annan man hade så träffsäkert, så snabbt, så oundvikligt förstått hennes kropp, hennes begär, och kunnat fylla och tillfredsställa henne så totalt.

Ibland var han nästan brutal, trängde in i henne innan hon var redo, lika likgiltig inför hennes njutning som han skulle ha varit inför en horas, och drev henne raskt till vanvett enbart med den våldsamma intensiteten i sitt behov. Andra gånger kunde han vara öm och omtänksam som en brudgum som inviger en älskad jungfru med gränslöst tålamod, och helt överflödigt bemöda sig att locka fram det gensvar som blixtrat i henne redan vid hans första beröring och förmått henne att vilja riva och klösa och tigga.

Gradvis hade hon börjat förstå det subtila herravälde han fått över henne, och även att hans ömhet på sitt sätt var lika brutal som hans våldsamhet – men vid det laget var det för sent.

På tok för sent. För Gabrielle de Sevigny, den bortskämda, indolenta, aristokratiska hustrun till en framstående regeringsmedlem, var redan besatt.

Nu nafsade han i henne så att tänderna snuddade vid vårtgårdarnas känsliga hud, men undvek de spända bröstvårtorna som hade hårdnat i väntan på hans mun. Kittlande hetta sköljde från brösten till grenen och fick skinnet att glöda. Hon var hal av åtrå, längtade efter att känna hur hans massiva stake liksom klubbade in njutningen i henne, men hon visste bättre än att skynda på honom.

Han gick långsamt fram, utforskade hennes bröst med tunga och tänder och händer, fortfarande utan att röra vid bröstvårtorna, som om han måste vänja henne vid sin beröring innan han vågade sig på några ytterligare intimiteter. Hennes bröst var svullna och nästan outhärdligt känsliga, och hennes blygdläppar svällde som till svar. Hon ville inget hellre än att känna hans mun, omild och hungrig, om bröstvårtorna, hans kuk, snabb och hård, stötande i henne – och bara för att han också visste det var han outsägligt, olidligt ömsint.

Långt om länge lät han tungan ringla sig om ena bröstvårtan, och hon flämtade ofrivilligt till när en vitglödgad njutning sköt igenom henne.

Genast drog han tillbaka huvudet.

"Älskling, jag gjorde väl inte illa dig?" Hans svarta ögon var milda av omsorg.

Hon ville spotta, skrika, dra ner hans huvud mot bröstet, klösa honom fram till sitt sköte, förmå honom att sätta fyr på den förtärande glöden, tills hon uppslukades av orgasmens renande eld. Ville repa naglarna utefter hans rygg, kasta sig vilt mot honom, vrida sig in i honom.

"Nej", sa hon nästan lugnt. "Du gjorde mig inte illa."

Hans ögon lyste när han sänkte huvudet mot hennes andra bröst.

I början hade han varit den fulländade älskaren som förstod hennes behov och önskningar till och med innan hon själv gjorde det. Han hade varit snabb och hårdhänt mot henne innan hon ens känt att det var det hon behövde, öm och försiktig när det var det hon sökte. Nu började han bli trotsig, gick avsiktligt emot henne, älskade henne ljuvt och långsamt när hon suktade efter en våldsam parning, eller tog henne brådskande och utan finess när hon längtade efter att bli smekt i timmar.

Paradoxalt nog lärde sig hennes kropp snart att uppskatta motsättningen, blev mer känslig, mer fin-

13

stämd efter hans, samtidigt som hon blev tvungen att ta itu med en djupare rädsla.

Han började ledsna på henne.

Hon låg passiv och overksam med kroppen i brand medan han varsamt slickade hennes bröstvårta och nästan prövande drog tungan över det heta röda ställe som tiggde om hans tänder. Hans skickliga fingrar retade hennes andra bröst, snuddade knappt vid det svällande hullet, smekte henne milt tills miljoner fladdrande eldpunkter samlades under skinnet på henne.

Sakta, alldeles för sakta, lät han ena handen glida ner till hennes mage, beundra höftens kurva, dröja vid naveln, så osäkert som om han aldrig förr hade rört henne så intimt. Han kunde lika gärna ha varit i färd med att lugna en nervös häst som att smeka en älskarinna.

Inom sig var hon het och våt, hade ett bultande tomrum som skrek efter att bli utfyllt, och hennes slida kändes svullen och tung av åtrå. Den lättaste beröring av hans fingrar mot hennes medelpunkt skulle tända den fladdrande hettan och få hennes kropp att tappa all kontroll. Och därför att han visste det lika bra som hon, skulle han dra ut på njutningen tills den nästan blev smärtsam, förlänga smärtan tills den förvandlades till extas.

Hon bet sig i läppen för att avhålla sig från att tigga och be när hans fingrar strök genom könshåret, men hon kunde inte hejda den instinktiva krökningen av höfterna. Då slöt sig hans tänder hårt om hennes bröstvårta, naggade i det uppsvällda, känsliga hullet, sög med ett hårt och intensivt tryck som gränsade till smärta, medan hans fingrar sakta och avvägt plockade i hennes täta buske.

Hon kände magmusklerna spännas i en plötslig kramp av smältande åtrå när hans fingrar strök mot hennes klitoris, alltför lätt och flyktigt för att utlösa den pirrande njutningen. Den sträva friktionen av hans tunga och tänder mot hennes bröst fick det att värka i henne av längtan efter samma rytm mot sitt kön, hans giriga mun och utforskande fingrar inuti henne, men hans hand hade dragit sig bort och smekte förstrött hennes höft.

När han rörde sig mot henne kände hon hans heta erektion mot låret, och hela hennes kropp skälvde.

Hon kände fladdret börja i maggropen, som om tusen små fjärilar desperat slog med vingarna, och visste att hon nu dansade på randen till klimax medan han försiktigt fingrade på henne. Hennes blod förvandlades till lava, smält och glödande, och samlades i hennes skrev, och hans fingrar efterlämnade ett fuktigt, brännande spår.

Hennes inre muskler började dra ihop sig i de första små krusningarna som trånade efter hans hårda, pulserande lem.

Till slut, när han anade att hon inte kunde vänta längre, stack han in tre fingrar djupt i henne, medan ett tryckte mot det spända skinnet i hennes andra ingång, och sög hårt in den pulserande njutningsknoppen mellan tänderna.

Hon kom omedelbart. Hennes kropp ryckte medan ilande orgasmvågor sköljde genom henne, uppslukade hennes kropp i en het ström av förlösning. Hon krökte sig bort från honom, för det enda hon ville var att förlora sig i extatisk klimax, men han fortfor att suga på henne och rytmiskt trycka mot hennes inre väggar och vrida fingret i den trånga, förbjudna gången. Under orgasmens höjdpunkt stimulerade han henne så skoningslöst att det gick för henne igen så gott som genast.

Hon skrek högt när en tredje, rysande orgasm dundrade genom henne med kraften hos ett slag, och

15

hon ålade sig som ett vilt djur i en fålla, helt förlorad i den skållande hetta som satte hennes kropp i brand.

Äntligen slutade han och låg stilla, såg på medan hon ryckte i hjälplös njutning, och väntade tills hennes skälvande kropp sjönk ihop, slapp och utmattad. Då kysste han henne sakta och reste sig från sängen.

Hennes ögonlock fladdrade upp.

"Men Leo, älskling ... Det har ju inte gått för dig." Med ögonen på hans alltjämt hårda erektion sträckte hon armarna mot honom. "Var som helst, älskade, hur du än vill."

Han knöt en handduk om höfterna, tittade ner och skrattade kort åt synen av sin penis som stack ut mellan de mjuka, vita vecken.

"Det börjar bli sent", svarade han med en blick på sin Rolex-klocka i guld medan han gick mot badrummet.

"Nej då. Pierre kommer inte hem än på flera timmar", sa hon hastigt och försökte att inte låta bönfallande. "Vi har all tid i världen."

Men hennes ord dränktes i strilet av vatten från badkaret, och hon förstod att han inte hade hört henne.

Hon lutade sig bakåt mot kuddarna, och oro blandade sig med efterdyningarnas lojhet.

Några minuter senare kom han tillbaka och torkade sig hastigt med handduken. Trots sin mättnad kände hon ett sting av åtrå vid åsynen av hans nakna kropp. Han var helt enkelt den vackraste man hon någonsin hade sett. Breda axlar, smal midja, långa, muskulösa ben ... Hennes blick gled mot hans överkropp.

Han uppfattade hennes ögonkast och skrattade igen. "Tyvärr, min kära, det var inte Pierre jag tänkte på. Det är långt att köra, och jag vill komma fram innan det blir mörkt."

"Långt att köra?" upprepade hon förvirrad. Leo hade ett förtjusande hus i stan, inte så långt därifrån. "Men inte ska du väl ..."

"Jag firar alltid jul i slottet", förklarade han medan han snabbt klädde sig. "En släkttradition, precis som maskeradbalen på nyårsafton ... Var lade jag strumporna nu då?"

"Jaså", sa hon svagt. Hon hade aldrig varit i den urgamla släkten Marais slott. Dess läge var omodernt, på Bretagnes sydkust i stället för i Loiredalen. "En maskeradbal?"

"En sedvänja för att välkomna det nya året", sa han och knäppte skjortan.

Häpen insåg hon att hon helt hade lyckats glömma att helgerna låg framför dem. Hon hade bara haft deras nästa möte i tankarna.

"Du får komma dit om du har lust", tillade han vårdslöst. "Men jag kan tänka mig att det inte blir den sortens fest som Pierre skulle gilla."

Han skrockade som åt ett privat skämt.

"Det är klart att vi kommer", svarade hon och undrade vilka evenemang de redan var inbokade på och hur hon skulle kunna övertala Pierre att följa med henne till Bretagne i stället. Eller ännu bättre, låta henne resa dit ensam.

I en av skyskraporna som höjde sig över Manhattans horisont var Jay Stone, direktören för Megalith, i färd med att diktera sista-minuten-instruktioner för sin sekreterare. Hans rasande takt verkade inte bekymra henne; pennan flög som en blixt över stenogramblocket.

"Ett par saker till medan jag kommer ihåg det, Annie ... lämna återbud till Donald, men skicka något trevligt till hans fru, Fabergé, Tiffany – det får du bestämma ... Bekräfta stugan i Gstaad ... Det här måste faxas till Tokyo, och se till att du har svar från Yoshi senast klockan tolv i morgon ... Säg åt John att lägga slutbudet på Horror Inc."

En rynka uppträdde mellan hennes ögonbryn. Hon fortsatte att rafsa ner hans instruktioner med stor precision, men gav honom samtidigt en förbryllad blick. Han drog händerna genom sitt tjocka, mörka hår, vilket var hans vana när han dikterade, och hans bruna ögon var smala av koncentration. Hans passionerade intensitet, hans kontroll över detaljer imponerade alltid på henne. Han var nästan lika spännande i styrelserummet som i sängkammaren, och hon kunde knappt titta på honom utan att känna ett hugg av bedrövelse över att deras kärleksaffär tagit slut så fort.

"Och så vill jag ha plats på Concorden till Paris på eftermiddagen den 27."

"Jag trodde att du skulle bo i Gstaad", insköt hon förvånat.

"Leos nyårsfest", förklarade han med höjda ögonbryn. "Alltför frestande för att avstå från. Har du allt klart för dig nu?"

Hon lade ifrån sig pennan och betraktade honom tankfullt. "Allt utom ditt plötsliga intresse för Horror Inc. Den brittiska filmindustrin är död, Jay. Det är här allting händer."

"Där misstar du dig, Annie. Har du inte hört talas om att filmen i England upplever en renässans?" Nu log han med ena ögonbrynet frågande höjt.

"Dödsdömt, det vet du", svarade Annie rättframt. "Förresten är det där företaget för litet för att vara av intresse för Megalith, eller ens för dig. Det här stämmer bara inte."

Han lutade sig bakåt i stolen, knäppte händerna bakom nacken och gav henne en skarp blick. "Det kanske du har rätt i."

"Varför gör du det då?"

"En nyck?" föreslog han.

"Du vet inte ens vad det ordet betyder", påpekade hon.

"Tja, låt oss då bara säga att jag vill göra en god vän en tjänst."

Jean-Paul Forget stod vid sängen i sin stuga i utkanten av Carnac med en piska i handen. Han såg ner på sin fru Pascaline och log. Hon låg på mage med utbredda lemmar framför honom. Handleder och vrister var surrade vid sängstolparna, hennes ansikte var begravt i kudden och hennes tjocka, röda hår vällde ner över ryggen.

Hennes skinkor var spända, mjölkvita halvklot, och han såg musklerna på insidan av hennes lår skälva när han lät piskan lätt orma sig över henne. Hennes kropp krökte sig till gensvar, och hon stönade djupt nere i halsen.

"En gång till, Jean-Paul", mumlade hon hest. "En gång till."

Hon skruvade sig mot sängkläderna och fann den värmande friktionen mot sin klitoris, njöt av den rodnande svedan från pisksnärten över skinkorna. De två förnimmelserna tycktes flyta ihop och sprida hettan genom hennes kropp tills den fyllde henne helt.

Men Jean-Paul var alltid noga med att hålla henne på sträckbänken, dra ut på den utsökta tortyren med små sluga knep. Han kunde ta en paus och dricka ett glas vin medan hon låg där och väntade, berövad all stimulans, utom kanske ett par droppar Muscadet som sipprade nerför ryggen till skåran mellan skinkorna. Han kunde driva henne från vettet av förväntan medan hon väntade på att han skulle slicka upp vinet och sedan ge henne ett nytt rapp.

"Det lyser hos grannen", sa han obesvärat och gick fram till fönstret.

"En gång till, Jean-Paul, en gång till", pressade hon fram, men hoppades nästan att han inte skulle hörsamma henne.

"Snart, älskling", lovade han och drog ifrån gardinen. "Vår nya granne, den engelska kvinnan. Jag minns inte vad hon hette ... Vill du ha ett glas vin, älskade?"

Pascaline andades tungt. Hon började lära sig att njuta av frustrationen, frossa i smärtan och den gäckade värken i underlivet.

"Ja tack. Hon hette Ametist eller Jade eller något annat löjligt engelskt namn. Jag kan inte begripa varför Leo sålde huset till henne. Kan du?"

"Leo har nog sina skäl", sa han, men i sitt stilla sinne tyckte han också att det var lite underligt. Bara några få, utvalda vänner hade fått privilegiet att köpa de försummade gamla bondgårdarna kring Chateau Marais. Kilometervis av skogar och ängar låg mellan de ombyggda stugorna och slottet, fulla av fornminnen, de gravhögar som var karaktäristiska för trakten.

"Högst egendomligt", fortsatte Jean-Paul och tittade ut genom fönstret medan han slog upp vin. "Hon har gått ut, jag ser en ficklampa. Det verkar som om hon är på väg mot skogen. Undrar just varför."

"Nu minns jag", sa Pascaline, lyfte huvudet och läppjade på vinglaset han höll framför henne. "Jag pratade helt kort med henne i somras innan vi reste, och hon dillade om gravkumlen, hur mystiska och fascinerande de var, och så konstigt att de tillhörde privat mark. Hon kunde inte sluta prata om ristningen i gravvalvet. Du vet, bilden av jägaren. Det kanske var därför hon ville ha stugan. Men det förklarar ändå inte varför Leo sålde den till henne."

"Jaså, gravvalvet", sa Jean-Paul med en förstående nickning.

Den stora gravhögen på Marais ägor var mindre känd än andra forngravar i området, St. Michel eller Le Mustoir. Det var Leos önskan att hålla den hemlig. Men den var unik för att den hade en bild av en människa ristad i väggen. Figuren liknade ett barns streckgubbe. Från bålen stack en linje ut som kunde ha varit ett spjut eller ett groteskt uppsvällt könsorgan.

Det kunde vara en av de tidigaste avbildningarna av människor i förhistorisk konst – eller en viktoriansk förfalskning. Lokalbefolkningen kallade den "Jägaren", och legenderna utrustade den med märkliga krafter – inte helt ogrundat, tänkte Jean-Paul och mindes deras senaste besök i graven. "Kommer du ihåg, Pascaline, den där kvällen när vi ..."

"Jag minns mycket väl", svarade hon med glödande blick. "Jag blir våt bara jag tänker på det ... Kom igen nu, Jean-Paul!"

Han styvnade själv vid minnet. Han ställde ifrån sig glaset och fingrade på piskan.

Gemma gick sakta och försiktigt genom det höga gräset bakom hennes stuga. Trädgården övergick nästan omärkligt i ängen som hon delade med de andra gårdarna och som sträckte sig fram till skogsbrynet.

Den nervösa spänningen hade äntligen släppt, och hon förlorade sig i landsbygdens nattliga, laddade stillhet. Himlen var djupt sidensvart och stjärnorna tycktes större och närmare. Plötsligt kände hon en djup lättnad och förstod hur rätt hon gjort som följt impulsen att köpa det gamla stenhuset.

Det var befriande på ett sätt som hon inte brydde sig om att analysera. Här var hon okänd, anonym. Hon talade knappt språket, hon kunde kasta av sig sitt yrkes fjättrar lika lätt som hon bytt ut Chanel-dräkten mot jeansen och den gulnade kashmirtröjan hon nu hade på sig.

Under den långa bilfärden hade hon känt sig upplivad men fortfarande spänd, och hon hade kört skickligt men alldeles för fort i sin uppskattning av den svarta, hyrda BMW:ns kraftiga motor. Bilen hade slukat milen utan svårighet, och ett tag hade hon roat sig med att avsiktligt trotsa hastighetsbegränsningen, sicksacka genom den täta trafiken och blixtra förbi långsammare bilar med dödsförakt.

Hon körde alltid bättre när hon körde för fort. Då var hela hennes koncentration på vägen, och trafikens skiftande mönster blev ett test av kontroll och skicklighet, nästan som ett schackspel.

När hon varit nära att kollidera med en mötande Citroën hade hon kommit till sans, men den dämpade farten hade tillåtit hennes tankar att vandra. Tillbaka till arbetet, tillbaka till Alexei Racine. Tillbaka till Megaliths inkräktande närvaro och hennes framtid på Horror Inc.

Nu äntligen, när hon hade lastat ur bilen, klarat av det tråkiga rutinarbetet med att installera sig i stugan och firat med en halv flaska god Muscadet, kunde hon vandra omkring och utforska, unna sig att ge efter för den märkliga dragning hon kände till platsen.

På avstånd såg han ljusstrålen från ficklampan röra sig över ängen och fortsätta in i skogen. Skenet kryssade mellan träden som en menads lykta. Han log för sig själv.

Gravhögen reste sig framför henne. Hon lät ljusstrålen spela över den en stund och gick sedan sakta in i den långa tunneln medan hon andades in den svala, gåtfulla lukten av hårdpackad jord och gammal sten och väntade på att ögonen skulle anpassa sig till mörkret. Hon kände det sista av nervositeten upplösas i gravens urgamla famn och ersättas av vördnad och förundran.

Hennes steg hördes inte mot golvets hårda jord. Dödstystnad rådde, en tjock, svart, allt uppslukande stillhet.

Det svaga ljuset från öppningen bleknade när hon nådde gravkammaren. I ingången stannade hon till och rörde vid den skrovliga stenväggen. Den var torr och kall och kändes sträv som sandpapper.

Hon höjde lampan och följde konturerna i den primitiva ristningen på motsatta väggen. Åter upplevde hon den sällsamma fascination som gripit henne första gången hon sett den. Figuren var stram men tycktes utsända en rå kraft, en vital och vibrerande makt.

Hon fortsatte in och lutade sig mot väggen, blundade och andades djupt som för att suga i sig atmosfären. Hon släckte ficklampan och lät fantasin söka sig bakåt, till tiden då den sedan länge döde krigarfursten levat, han vars bild hon nu hade framför sig och vars grav hon stod i.

Senare var hon aldrig säker på om hon hade somnat eller ej. Hela mötet var så genomsyrat av forngravens mystiska stämning.

En tändsticka flammade upp.

Förskräckt vände hon sig om men fick bara ett kort, förvirrat intryck av en lång man med djupt liggande ögon, innan lågan slocknade. Den stickande svavellukten blandade sig med den aromatiska doften av tobak.

"Jag trodde att jag var ensam här", sa Gemma och blinkade omtumlat.

"Nej."

Hans röst var besynnerligt förvrängd av ekot i kammaren, fyllig och metallisk på samma gång. Hon kände sig både attraherad och bortstött av ljudet. Hon väntade på att han skulle säga något mer, men han var tyst. Och medan tystnaden växte blev hon alltmer medveten om hans fysiska närvaro. En svag darrning av upphetsning, lika chockerande som oväntad, löpte genom henne. Ensam med en främling under det massiva klipptaket, i den tjocka, mörka stillheten, framför ristningen av jägaren, kände hon de första skälvningarna av sexuell eggelse. Ännu medan hon försökte komma underfund med sin kropps reaktion tog han till orda igen.

"Vill du vara det?" frågade han.

"Vad då?" undrade hon förvirrad.

"Ensam."

I mörkret anade hon hans kropp som en magnet. Hennes hjärta började slå oregelbundet, och trots svalkan i kammaren formades svettdroppar på överläppen. När hon talade kände hon knappt igen sin egen röst.

"Nej."

"Bra."

Tystnaden och avståndet mellan dem blev till ett levande väsen, en nästan påtaglig tredje närvaro. Hon kände sig lättjefull och upptänd på samma gång. En märklig, eggande letargi tyngde hennes lemmar och trubbade av sinnet. Vagt insåg hon att hon borde säga något, fälla en konventionell, banal kommentar, som främlingar gör när de möts, men på något sätt fanns det inget behov av ord.

Laddningen mellan dem var omisskännlig.

Otroligt nog sjöng hennes kropp redan av förväntan när han kom närmare. Varenda nervtråd levde och pirrade. På något sätt förstod hon att han tänkte ta henne här och nu, på det hårt packade jordgolvet, i tystnaden och mörkret, och blotta tanken var otroligt upphetsande.

Hans händer hittade henne osvikligt, följde hennes kropps konturer. Så böjdes hans huvud mot hennes.

Det var en häftig kyss, djup och forskande, så förödande erotisk att hennes inre blossade upp i gensvar. Hans tunga gled över hennes tänder, prövande och smakande, och trycktes sedan mot den känsliga punkten nedanför gommen, så hårt att det satte fyr på varenda nerv och fick hennes ögon att tåras.

Hon drunknade i honom, i känslan av hans läppar, hans tunga mot hennes. Hennes benstomme tycktes smälta och hennes hud hettade medan han intog hennes mun, en våldsam, sensuell anstormning som drev varje sammanhängande tanke ur huvudet på henne. Hans mun var hård men hans händer retsamt varsamma då de rörde sig över hennes kropp, letade upp de känsliga kurvorna och håligheterna, stannade till för att leka med en bröstvårta, avkänna höftens rundning.

Hon klängde sig fast vid honom då hennes knän började svikta, som ett bräckligt djur överraskat av en storm. Yr, nästan svimfärdig av åtrå ville hon känna hans starka tunga mot sitt kön, hans smekande händer mot sin bara hud. Hon behövde hans vitala värme mot sin kropp medan hon ännu njöt av den upphettade förväntan som hans händer och mun väckte.

Kyssen var ändlös, mer passionerad, mer intensivt eggande än någonting hon upplevt. Han gav hennes mun ett eget liv, fick den att bli lika känslig som hennes klitoris, lika häftigt erogen som hennes bröstvårtor.

Det tycktes pågå i all evighet.

När han slutligen lyfte huvudet var hon andlös.

Lekande lätt tog han av henne kläderna. Det var inget fummel, ingen tvekan. De tycktes falla av under hans beröring som höstlöv i stark blåst.

Och inga ord blev sagda.

Kanske han i likhet med henne föredrog tystnaden, den erotiska anonymiteten.

Det låg något primitivt, någon sorts rå förnimmelse, i att stå naken i beckmörkret inför en främling, djupt i hjärtat av en gravkammare där det enda verkliga var beröringen av hans mun och händer.

Han smekte henne varsamt. De stora, starka händerna dröjde vid hennes hals, gled ner till axlarna, snuddade ytterst vid hennes bröst innan de fortsatte längs hennes armar, fann och fingrade på den känsliga huden i armvecket. Alla hennes sinnen var fokuserade på hans händers väg och den kvillrande värme de lämnade efter sig.

Hon kände bröstvårtorna rynkas och hårdna och den fuktiga hettan mellan låren tillta medan hans händer flyttades till hennes midja, följde höfternas kurva och gled nerför benen, över de skälvande musklerna på lårens insidor, över vaderna. Hon visste att han hade gått ner på knä då en varm andedräkt rörde i de täta lockarna mellan hennes lår.

Hon hade aldrig varit framfusig i älskog, men nu greps hon av en impuls att linda fingrarna i hans hår, dra honom mot sin kropps medelpunkt, förmå honom att slicka och suga henne till klimax. Som om han anade det grep han hårdare om hennes vrister. Greppet var nästan smärtsamt, och hon kände en ilning av fruktan som is längs ryggraden. Hon kände på sig att han var längre än hon, och hans grepp visade att han var långt starkare. Han skulle kunna tvinga henne, kanske skada henne, och hon skulle inte kunna göra ett dugg för att hindra honom.

Då kände hon hans mun mot sin mage där den ritade ett spår av lätta kyssar, så milda att han knappt tycktes nudda skinnet. Om hon var hans händers fånge var hon också slav under hans mun, under hans tungas skicklighet där den dansade lätt genom hennes könshår och fann hennes köns svullna, skära läppar.

Med någon annan, på någon annan plats, skulle hon nog ha blivit generad över hur våt hon var. Hon svämmade över som en vårflod. Men här i mörkret, med främlingen, upptäckte hon en sensuell frihet hon aldrig hade erfarit förr. Det hårda greppet om vristerna kontrasterade mot hans lätta, känsliga tunga mot hennes vulva, förhöjde hennes upphetsning, blandade in en vag smärta i vågorna av njutning som svepte genom henne.

Med tänderna makade han fram hennes klitoris ur de skyddande hudvecken, och hon kände hur den svällde och pulserade i takt med sammandragningarna i hennes inre väggar. Sedan slickade han den känsliga knoppen, från den lilla stammen till den darrande toppen, en rytmisk rörelse fram och tillbaka, fram och tillbaka, tills hon stönade högt och kände en intensiv försmak av orgasm samlas i skrevet.

Hullet mellan hennes ben var svullet, nästan outhärdligt känsligt. Hon ville att den brännande hettan skulle tändas i orgasmens lågor; hon ville stanna på randen för alltid med hans tunga mot sin klitoris, slickande och sugande. Hennes kropp spändes i vetskap om att nästa fasta tag av hans tunga skulle släppa lös den heta flodvågen. Då kände hon att han flyttade tungspetsen till hennes slidöppning.

Hettan ebbade ut, och hon skulle ha skrikit högt i frustration om hon inte hade blivit medveten om en ny våg av sensationer då hans tunga trevade sig in i henne. Han kysste henne där med samma drivande

27

rytm han hade använt i hennes mun, och hittade en punkt som var så värkande, ljuvligt, vilt sensitiv att hon uppslukades av en pirrande värme som spred sig genom hela kroppen.

Och sedan skrek hon högt när han gled med tungan över punkten om och om igen, och värmen blev till hetta och hettan ljungade som blixtar. Hon darrade okontrollerbart, och hans händer flyttades till hennes midja. Den ena höll henne hårt mot hans mun, den andra gled in mellan hennes skinkor.

Hon kände hans finger glida fram till de hala blygdläpparna och sedan sakta återvända till hennes andra öppning, utforskande det ömtåliga skinnet mellan hennes kropps två kanaler. Så småningom prövade han den hemliga ingången med ett finger som var vått av hennes utsöndringar, och nu slappnade muskeln och han stack in det.

Hans tunga arbetade alltjämt rytmiskt inuti henne, och han använde samma skruvande stötar i hennes andra hål. Det var som om en mäktig elektrisk stöt löpte genom henne och smälte ner benstommen. Orgasmen uppslukade henne som en storm, mullrande och bultande genom ådrorna.

Spasmodiskt ryckande sjönk hon mot golvet. Hans armar fångade upp henne, lade ner henne på marken, höll henne tätt mot sin kropps värme.

”Du”, mumlade hon förundrat och sträckte ut handen för att röra vid hans ansikte i mörkret. Hon kände sig både utpumpad och exalterad medan klimaxens efterdyningar klingade av.

Han fångade in hennes hand och förde hennes fingrar mot sin mun, kysste dem i tur och ordning och sög sedan hårdare, mer målmedvetet. Till hennes häpnad vaknade hennes kropp på nytt. Bröstvårtorna började styvna och hon blev åter fuktig mellan benen.

Girigt sög han på varje finger, gled runt med tungan och naggade hennes naglar med tänderna. Hennes bröst svällde i gensvar, tiggande om samma behandling. Hon stönade maktlöst när han slutligen fann hennes bröst med tänder och tunga.

Han läppjade och nafsade och sög på det ena bröstet medan han nöp i det andra tills hennes bröstvårtor var uppsvällda och värkande, överkänsliga, stimulerade till en punkt bortom smärta, och hela hennes kropp var febrig och brinnande av åtrå. Och fortfarande sög han, koncentrerade varje lustfylld känsla till hennes bröstvårtor tills hon var nära att skrika ... tills de elektriska ilningarna spred sig från brösten ner till underlivet och dränkte henne i en bländande blixt.

Den här gången lät han henne helt gå upp i orgasmen, smekte henne sakta medan hon vred sig hämningslöst, strök hennes upphettade hud medan extasens sista röda vågor långsamt ebbade ut.

När hon slutligen vände sig mot honom, dåsig av njutning, och ville utforska honom i sin tur, fångade han med en snabb rörelse upp hennes händer, höll dem ovanför huvudet på henne och trängde in i henne med en plötslig stöt.

Gemma kippade efter andan vid den oväntade känslan. Trots att hon fortfarande var våt tänjdes de ömtåliga vävnaderna ut av hans massiva lem. Det var som om han fyllde upp henne helt och hållet, och när han började röra sig kände hon honom överallt, som om han hade ersatt hennes kropps rytmer med sina egna.

Han stötte in djupt och drog sig tillbaka, förde sin penis över hennes mage och upp mellan brösten. Sedan återvände han plågsamt sakta samma väg och fick pulsen mellan hennes ben att slå ännu fortare. Åter och åter upprepade han rörelsen, tills trycket av hans

29

silkeslena, järnhårda stake hade etsat sig in i hennes hud, tills hennes inre muskler drog ihop sig i spasmer och hon gnydde av plågad längtan.

Men han flyttade sig obarmhärtigt långsamt över hennes kropp, kysste hennes bröstvårtor med tippen av sin penis, stötte varligt mot hennes navel innan han återvände till det uppsvällda, värkande hullet mellan hennes ben.

När hon till slut kom för andra gången var det så skållande intensivt, så primitivt jordnära, att hon svävade rakt från njutningsvågorna in i sömnen.

När hon vaknade var hon ensam.

2

Hon vaknade sent nästa morgon med tunga lemmar och ögonlock. Lusten att kura ihop sig under täcket och ge efter för den dimmiga, loja känslan av välbefinnande var nästan överväldigande. Hon kände sig som ett tjockt, vitt moln eller en havsanemon, milt smekt av ömma vågor, och hon rörde lättjefullt på sig under täcket ... Men det var ingen idé. Det varma, gula solskenet spelade mot hennes slutna ögon och manade henne att vakna.

Hon erfor ett ögonblicks desorientering när hon såg att hon var på ett främmande ställe – lågt tak med bjälkar, rustika, vitmenade väggar, ett litet fönster med målade fönsterluckor. Då återvände minne och medvetande, och hon log för sig själv. Hon befann sig ju inte i sin eleganta, ultramoderna lägenhet utan i ett lanthus; inte i London utan i Bretagne.

Hon sträckte på sig och gäspade, förundrad över hur stel hon var och över den ovana ömheten mellan låren.

Och då kom hon ihåg.

I går kväll hade hon gått ut ... gått till forngraven ... betraktat ristningen på valvets vägg ... och sedan ...

Hennes minne skyggade. Hon kunde inte erinra sig att hon hade lämnat graven och återvänt till huset. Om det hela varit verklighet måste hon ha vaknat och klätt på sig, måste ha letat reda på ficklampan och följt den slingrande stigen genom skogen, över ängen ... men det hade hon inget minne av. Det var som om hon hade gått i sömnen, eller dagdrömt.

Hennes tankar snurrade mellan det hettande minnet av en älskare som hade fört henne till extasens rand och långt förbi den, och det tomma, trekantiga ansiktet på Jägaren som var ristad på väggen med sitt framskjutande spjut.

Det kanske bara hade varit en dröm. En dröm. Ja, naturligtvis, en dröm.

Jane, hennes produktionsassistent, brukade berätta om nattliga orgasmer i ett maskerat försök att antingen utröna Gemmas egna preferenser eller lägga sig ut för henne, vilket Gemma givetvis hade ignorerat. Och när Jane i detalj hade beskrivit hur hon fått utlösning under en erotisk dröm, hade Gemma nästan avundats henne. Inte nödvändigtvis själva känslan, utan effektiviteten i skeendet.

"Ja, det var en drömälskare", sa hon högt.

På så sätt passade alltsammans ihop. Hon hade varit trött, utarbetad, skärrad över Alexei Racines hotande spöke. Resan hade varit lång, och hon hade druckit vin medan hon packade upp. Hon måste ha varit alldeles utmattad när hon gick till sängs, och hennes undermedvetna hade påpassligt frambesvurit den perfekta fantasin för en kvinna: vilt, härligt, hämningslöst, tillfredsställande sex med en främling. Inga ord, inga löften, inga låtsade orgasmer, bara jättebra sex.

"Det ultimata knapplösa knullet", fnissade hon högt och tänkte på Erica Jong. Jane skulle ha blivit chockerad. Men Jane skulle aldrig få veta det.

Gemma svepte lakanet om sig och gick in i det lilla badrummet. Bristen på utrymme hade tvingat rörmokarna att frångå de bisarra franska vanorna och installera toaletten, tvättstället, bidén och badkaret i samma rum. Det första vattnet som sipprade ut ur kranen var rostbrunt, men snart flödade en kokhet ström fram, och hon släppte lakanet på golvet och kröp ner i karet.

Hon tvålade in sig med en rikt löddrande, citrondoftande tvål och råkade snegla ner på sina bröst.

Och såg märket efter hans tänder – en fulländad röd halvmåne mot det bleka skinnet.

Det fysiska minnet av hans mun och tänder mot hennes bröstvårta sände en våg av vällust genom hennes ådror, så stark att hon nästan svimmade.

I sin privata, lyxiga våning i slottets östra flygel åt Leo Marais just frukost. Bordet, en aggressivt modern skapelse av förvridet glas, var täckt av en irländsk linneduk och en tung silverservis. Femfärgade Imariskålar trängdes med Sèvres och Wedgwood.

I likhet med resten av Chateau Marais var rummet en blandning av smakriktningar och stilar, ett vittnesbörd om nycker och infall hos varenda förfader ända sedan femtonhundratalet. Kopparstick av Dürer stirrade ogillande på Tizians yppiga överdåd och Fragonards romantik; japanskt marketeri tävlade med Mies van der Rohes stränga geometri som i sin tur stred mot Biedermeier. Sjok av snittblommor, de flesta föga säsongsenliga, vällde ur klassiska potpurrikrukor och vaser av art nouveau-kristall. Föremål i elfenben och ovärderligt buxbomsträ från artonhundratalet knuffades med Fabergé, och Andy Warhol skrek åt Renoir.

Orimligt nog föreföll varje bisarr motsägelse helt rätt. De få privilegierade som släpptes in i Leos privata våning gick aldrig därifrån utan en känsla av förbluffad förundran över hur perfekt en Hockney-tavla gjorde sig nedanför en Stubbs.

Leo läppjade på tjockt, aromatiskt kaffe ur en spröd Sèvreskopp och betraktade ganska roat sin gode vän.

"Jag gillar den", sa Alexei Racine till slut utan att vända sig om.

Framför honom, på en enkel piedestal av onyx, stod en cirka fotshög skulptur i vit marmor, föreställande en man och en kvinna hopslingrade i en omfamning. Det fanns en mäktigt erotisk känsla av rörelse i de uthuggna musklerna på mannens rygg och ben, de strävande skinkorna, senorna i nacken som var upphöjda i relief. Den fångade en man på gränsen till orgasm. Kvinnan, å andra sidan, var dold, nästan helt täckt av mannen. Bara ett fulländat bröst med spänd bröstvårta var synligt. Hennes huvud var bakåtkastat, och hennes långa, böljande hår försvann in i skulpturens bas och dök åter upp för att forma mannens ben.

"Det var roligt att höra", svarade Leo älskvärt medan han slött bredde smör på en croissant. "Din åsikt värderar jag som alltid."

"Rodin, förstås", fortsatte Alexei och gick runt till sidan för att få en bättre överblick.

"Naturligtvis", instämde Leo och sträckte sig lugnt efter smultronsylten som var tillverkad av slottets egen skörd.

"Okatalogiserad, förmodar jag", sa Alexei och smekte den spetsiga bröstvårtan. Marmorn var inte alltigenom vit. Han kunde nästan se en rosa ven pulsera på bröstets rundade undersida.

"Mmm." Ett ordlöst medgivande av att föremålet aldrig hade varit hos en respektabel auktionsfirma och följaktligen var av tvivelaktigt ursprung.

"Jag skulle ge mycket för att få veta hur du har lyckats få tag i den ... och vad du gav för den", sa Racine och flyttade handen till kvinnans hår.

34

"Men snälla du", sa Leo och höjde förebrående på ögonbrynet.

Det var en gammal lek mellan de två vännerna. Båda var samlare och kännare, båda hade råd att tillfredsställa sin dyrbara smak och varenda nyck. Lyckligtvis hade de olika intressen. Alexei begränsade huvudsakligen sin kollektion till tavlor, särskilt Picasso, medan Leo älskade skulpturer. Det var basen för en solid vänskap, en som aldrig hade hotats av att de båda åstundade ett konstverk lika högt. Men Alexei uppförde sig egendomligt denna morgon.

"Ja, jag gillar den verkligen", sa han och fingrade fortfarande på kvinnans svallande lockar.

"Den kompletterar en tidigare version av 'Kyssen', som jag hade turen att förvärva", sa Leo, något förvånad över sin väns fascination över skulpturen.

"Den är överskattad", sa Racine avfärdande och drog motvilligt åt sig handen. "För pryd, för återhållen. Men här finns något djupare, mer sensuellt. Jag gillar den", upprepade han för tredje gången.

"Mer kaffe?" frågade Leo.

"Ja, varför inte?"

Racine vände sig äntligen ifrån skulpturen. Den tidiga förmiddagssolen framhävde skuggorna under hans mörka ögon. I sin svarta sidenrock som nådde ända till golvet men glipade över bröstet och avslöjade en muskulös överkropp med en matta av mjukt hår, såg han ganska utlevad ut, nästan dekadent. Hans långa, mörka hår var rufsigt.

Leo däremot var oklanderligt om än tvetydigt klädd i snyggt skräddade jeans och en svart tröja med polokrage.

"Bra att du kom hit tidigare", sa Leo och bröt den smått laddade tystnad som uppstått. "Ditt sällskap är alltid välkommet."

"Paris började gå mig på nerverna", svarade Racine, drack sitt kaffe och ignorerade den frestande korgen med nybakade croissanter och de ångande, övertäckta silverskålarna. "Ibland längtar jag efter enklare nöjen."

"Ja, ja", sa Leo och nickade. "Jag vet precis vad du menar."

"Vi kanske ska bjuda hit henne på en drink senare", sa Jean-Paul förstrött, hällde vatten i sin pastis och beundrade den mjölkvita nyansen.

"Vem? Engelskan?" frågade Pascaline och vände sig om från diskbänken. Hon hade inget annat på sig än ett förkläde och ett par högklackade skor. Banalt, kanske, men hon visste att det hetsade upp honom olidligt. "Jag trodde att vi åkte till bondlandet bara för att få vara ensamma. Inte så mycket vatten i min, Jean-Paul. Du dränker dem alltid."

Lydigt slog han mer pastis i hennes glas och log inom sig åt hennes uppfattning om "bondlandet". Stugan var visserligen enkel, bestod bara av ett stort rum på bottenvåningen, en kombination av vardagsrum och matsal, och på övervåningen ett loft som tjänade som sovrum. Men det strömlinjeformade köket var utrustat med varje upptänklig arbetsbesparande apparatur, rören och värmesystemet var toppmoderna, och den sofistikerade stereoanläggningen upptog en hel vägg.

Möblemanget var klassisk Bauhaus med en omdömesgill inblandning av Le Corbusier, rena, geometriska former i stålrör och svart skinn, med bara en stor fåtölj i svart läder som eftergift åt komforten. Ovanför den prydde en Mondrian sin plats.

Pascalines begrepp om "bondland", tänkte han, var lite grann som Marie Antoinette i färd med att leka mjölkpiga.

"Det hör väl till god grannsämja", sa han. "Om några dagar kanske, efter jul."

"Som du vill", sa Pascaline likgiltigt. "Men tänk om hon är urtråkig? Hon verkade så ... så engelsk", tillade hon parisiskt nedlåtande.

"Mmm." Jean-Paul hörde bara på med ett halvt öra och tänkte på engelskans fantastiska kaskad av silverblont hår, de mörkblå ögonen, den slanka, vältränade kroppen – en stark kontrast mot Pascalines yppiga kurvor och tjocka, röda hår.

"Då bjuder hon igen, och vi blir tvungna att träffa henne en gång till", envisades Pascaline. "Jag avskyr sådana där bekantskaper som det inte går att dra sig ur."

"I så fall får vi väl ändå krångla oss ur det på något elegant sätt", sa Jean-Paul oberört. "Sätt ner glaset nu och kom hit."

De följande dagarna förflöt som i en sällsam men ljuv dröm för Gemma. Paradoxen var för omstörtande för att hon skulle kunna acceptera den utan vidare. Hon, en kompetent, behärskad yrkeskvinna, hade gett sig hän besinningslöst, som ett brunstigt djur, till en främling på ett hårdpackat jordgolv. Sex – eller frånvaron av sex – hade aldrig bekymrat henne nämnvärt. Men han hade öppnat en sensuell malström inom henne som hon inte hade anat fanns där.

Naturligtvis var han en människa av kött och blod, men det var alltför oroande att tänka på honom så. Och hon hade inte sett hans ansikte. Minnesbilder av den natten förbands upplösligt med jägaren som var ristad i forngraven. Hon kunde knappt tro på de chockerande erotiska handlingar de hade hängett sig åt, och på något sätt tänkte hon på honom som en inkarnation av jägaren, en drömälskare, en förverkligad

fantasi som tillhörde en skuggig, underjordisk halv-
värld.

Men hennes kropp lät inte lura sig.

Hon hade tänkt ta det lugnt på semestern, läsa
Trollope och lyssna på kammarmusik. Men oftast
låg boken oöppnad medan hon gled in i ett skönt
halvdåsande tillstånd där hon mindes den köttsliga
sällheten, njutningstopparna hon upplevt, de utsökta
känslor hon erfarit.

Hon hade sagt hej åt Jean-Paul och Pascaline, och
de hade vagt kommit överens om att träffas och ta en
drink någon dag, men det verkade som om de, lik-
som hon, helst ville vara ensamma. Från snabbköpet
i Carnac hade hon skaffat frukt och ost, bröd och vin
och lite paté. Hon behövde inte lämna stugan, och
egendomligt nog kände hon ingen lust att utforska
landsbygden.

Den nyväckta åtrån sjöd under ytan, först så svagt
att hon var omedveten om den. Men gradvis upptäckte
hon hur hon började njuta av friktionen av bröstvår-
torna mot mjukt ylle eller sträv bomull, av det mjuka
bultandet mellan låren mot jeansens grova denim.

Och en eftermiddag märkte hon att hon nästan
omedvetet rörde vid sina bröst då hon kom ihåg käns-
lan av hans mun och tänder mot bröstvårtorna, den
rasande hetta som hans smekningar framkallat.

Först var hon tafatt och oerfaren, men bröstvår-
torna hårdnade under hennes prövande fingrar och
kroppens gensvar förmådde henne att återuppväcka
de känslor hon kommit att längta efter – den heta
ström som vällde fram ur hennes inre och gjorde hen-
ne fuktig mellan benen, de varma krusningar som fick
skinnet att knottra sig.

Hon höll kvar händerna på brösten och tänkte på
den febrila hänryckning han hade drivit fram genom

att begränsa sin beröring till bröstvårtorna, och hon smekte dem försiktigt genom tröjans mjuka ylle. Men den stigande upphetsningen i maggropen drev henne snart att sticka handen innanför kläderna, leta upp bröstens lena hud, öka trycket mot bröstvårtorna, nypa i dem och väcka de ilande, elektriska strömmar som tycktes leda rakt ner till underlivet.

Hon kände hur de nedre läpparna började svullna och pulsera av längtan efter stimulans, och hon mindes hur hans heta mun hade funnit vägen dit, mindes den ljuvliga feber som uppslukat henne.

Nästan av sig själv slank handen ner till jeansens gylf och in under silkestrosorna, särade på slidans köttiga blad och fann njutningspunkten. Hon utforskade försiktigt sig själv, fingrade på klitoris spända knopp och häpnade över hur känslig den var, häpnade över hettan som samlades i skrevet och svetten som sprang fram i pannan. Skötets vävnader var blodfyllda och hala, känsliga och skälvande, och hon rörde fingrarna fortare och fortare tills värmen spred sig i en glödande explosion som uppslukade hela kroppen. Blodet tycktes skumma i miljoner pirrande bubblor som brast när hon kom.

Hon gav ifrån sig ett lågt rop när hennes kropp drog sig samman och sedan blev alldeles slapp.

"Vår nya granne är nog inte så tråkig som du befarar", sa Jean-Paul, som hade gått dit för att bjuda in Gemma på en drink och råkat titta in genom fönstret.

"Vin? Pastis? Vi har whisky också", sa Pascaline med en frikostig gest mot alla flaskorna som stod på ett lågt bord.

"Vin, tack", sa Gemma.

Hon slog sig ner i en mjuk, svart skinnfåtölj och såg sig omkring i rummet. Det gladde henne att Jean-Paul och Pascaline hade bjudit hem henne. Det dvallika tillståndet hon hamnat i började blandas med rastlöshet, en krypande önskan att gå tillbaka till forngraven och samtidigt en ovilja att göra det. Lite sällskap var en välkommen förströelse.

De småpratade ett tag. Jean-Paul log när Gemma låtsades vara imponerad av Rietveld-stolen han satt på.

"De blev aldrig populära", kommenterade han, reste sig för att fylla på glasen och nickade mot stolens räta vinklar. "Och därför masstillverkades de aldrig. Den här var ett riktigt fynd."

"För obekväma, antagligen", trodde Gemma. Hon höll upp glaset för påfyllning och missade blicken som växlades mellan Jean-Paul och hans fru.

"Hemskt obekväma", instämde Pascaline med ett leende. "Du då, Gemma, vad tycker du om?"

"Jag har nog lite friare smak", svarade hon långsamt. "Min lägenhet i London är helt modern, men jag har inte tänkt så mycket på stugan här."

Pascaline och Jean-Paul tittade på varandra igen. Det var han som bröt tystnaden innan den hunnit bli besvärande. Lättsamt började han prata om fördelarna med ett rofyllt gömställe på landet, om lokala sedvänjor och sevärdheter, om traktens rikedom på fornminnen från yngre stenåldern.

"Men det där vet Gemma redan", insköt Pascaline när Jean-Paul började berätta om dösar och forngravar. "Det var väl Leos jägare som lockade dig hit, inte sant?"

"Vad?" utbrast Gemma och kände att hon rodnade.

"Ristningen av jägaren i gravhögen. Jag kommer ihåg att du pratade om den i somras", förklarade Pascaline, en smula förvånad över Gemmas reaktion. För en kort sekund hade hon tyckts utstråla en sexuell hetta, som en blixt som flammade upp och lika fort slocknade igen. Jean-Paul hade rätt – hon var antingen oerfaren eller mycket subtil, men absolut inte tråkig.

"Leos jägare?" ekade Gemma.

Jean-Paul tog över. "Det är Leo Marais som äger marken, och gravhögen påstås tillhöra en av hans förfäder. Det är förstås omöjligt, eftersom hans släkt inte slog sig ner här förrän på femtonhundratalet, och graven är ju förhistorisk. Men det är en av traktens legender – nästan som Leo själv. Du ska väl på maskeraden i morgon, och då får du kanske träffa honom."

"Maskeraden?" frågade Gemma förvirrad.

Något grävde sig in i korsryggen på henne, och utan att tänka sig för trevade hon bakom sig mellan dynorna. Hennes min av oförstående häpnad när hon drog fram en liten svart läderpiska var nästan komisk.

"Åh, jag ...", började hon och kom av sig.

"Jag undrade just vart den hade tagit vägen", sa Pascaline belåtet.

Gemma såg omtumlad ut.

"Den hör till dräkten", insköt Jean-Paul. "Titta här."

Han kom fram till hennes fåtölj och lyfte ett plagg i svart läder från stolsryggen. Det var en kattkostym, lång och smidig, avdelad av silverfärgade blixtlås som löpte från halsen till grenen och nerför båda benen. En liten huva var fäst i nacken.

"Dräkten?" upprepade Gemma och kände på det mjuka lädret. "Jaså, till maskeraden. Michelle Pfeiffer, eller hur?"

Pascaline såg oförstående ut.

"Kattkvinnan, menar jag", förklarade Gemma.

"*Comment?*"

"Ja, det har du rätt i", svarade Jean-Paul, förtjust över Gemmas intresse. "Men du väntade dig tydligen inte en maskeradbal. Kan du inte låna den här? Pascaline och jag har andra ... dräkter."

"Men jag har inte blivit inbjuden", sa Gemma avvärjande och fortsatte att smeka den sensuella dräkten.

"Det gör inget", försäkrade Jean-Paul. "Vi väntas dit allihop. Förr i tiden skulle vi ha varit arrendatorer eller vasaller under slottet, eftersom vi bor på dess mark. Det är en gammal tradition att ha öppet hus på nyårsafton. Du kommer väl?"

Gemma var nära att avböja, men föll för frestelsen. Det fanns något mörkt lockande hos dräkten, något spännande.

"Då hämtar vi dig i morgon klockan åtta", avgjorde Jean-Paul och log mot sin fru. "Du kommer säkert att finna det intressant."

Dräkten fascinerade henne. Det släta, smidiga lädret kändes varmt att röra vid, och den tjocka silverdragkedjan kall och livlös. Kontrasten var egendomligt eggande. Den hade en mystisk lockelse som både drog henne till sig och stötte bort henne, och den gav henne en känsla som var välbekant men samtidigt undflyende.

På eftermiddagen före partyt låg hon i timmar i ett hett bad spetsat med hennes favoritparfym, sög i sig den ångande värmen, lät tankarna vandra som de ville. Hon tvättade håret och handdukstorkade det, lät det falla i lösa vågor och masserade sedan in mandeldoftande hudkräm över hela kroppen. Tankfullt synade hon sin spegelbild. Hennes hud var skär som en nyponros efter badet, och bröstvårtorna hade blivit till hårda spetsar under hennes händer. Hon drog fingrarna över sin platta mage och snodde dem om sitt blonda könshår.

I samma stund visste hon att hon inte skulle ha någonting under den svarta läderdräkten.

Den passade perfekt, som en smeksam andra hud, kupade sig över hennes bröst och formade sig efter kroppen. Hon tänkte på Pascaline, vars yppiga kurvor skulle ha blivit klämda av den snäva dräkten, och undrade vagt om kvinnan kanske hade gått upp i vikt nyligen.

Blixtlåsets metall var som en kall, metallisk kyss mot hennes kön, särade hennes inre läppar och gned lätt mot hennes klitoris. I spegeln såg hon en främling, en djurisk, fatalt förförisk varelse i svart läder som hade hennes eget välbekanta, silverblonda hår och mörkblå ögon.

Med huvan uppfälld skulle bara hennes ögon och läppar synas. Hon slösade med makeupen, använde tjock eyeliner och massor av mascara, och målade läpparna djupröda. När huvan var på plats dolde den hennes hår, och hon var verkligen förvandlad till främlingen hon hade sett i spegeln.

Det var en besynnerlig känsla, tänkte hon medan de åkte till slottet; som om hon genom förklädnaden hade fått något av den sensualism den betecknade. Hon var starkt medveten om sin nakna kropp under det smidiga, svarta lädret och kände sig hemligt dekadent och vagt upphetsad, och hon lyssnade knappt på Jean-Paul och Pascaline. Men hennes uppmärksamhet väcktes då slottet kom till synes. Det var en ståtlig, elegant renässansbyggnad. Vid ena gaveln stod ruinen av ett gammalt torn som skar sig mot den övriga arkitekturen.

"Vad är det där?" frågade hon förvånat när billyktorna svepte över tornet.

"En del av det gamla kärntornet", svarade Jean-Paul, stannade bilen och kastade nycklarna till en väntande tjänare. "Leo fick för sig att låta det vara kvar. Gravplatsen också. Han vägrar att restaurera det. Konstigt, faktiskt."

Men när de gick uppför den stora stentrappan fram till den väldiga porten glömde hon tornet för känslan av naken hud mot läder och metall och visste att hon till och med gick annorlunda – friare, smått provokativt, med svängande höfter och gungande kropp under dräktens smekning.

Pascaline och Jean-Paul, som också bar svart läder, sa någonting som gick henne förbi när de stora porthalvorna öppnades och hon såg det otroliga skådespelet innanför.

De befann sig i en gigantisk hall, lika hög som huset, upplyst av en enorm ljuskrona som spred ett ljus som små diamanter och satte extra liv i bjärta dräkter i siden och sammet, reflekterades i smaragder och diamanter och rubiner. Det var dekadent vräkigt, ett lysande kalejdoskop av skiftande nyanser och dofter och bilder. En juvelbehängd Marie Antoinette i en bländande kreation av akvamarinblått siden daskade lekfullt Lucifer över knogarna med sin solfjäder. En olivhyad huri i svepande flor med en stor smaragd i naveln lutade sig närmare kardinal Richelieu. En upplivad Dionysos med lagerkransen på sned, bärande på en druvklase, gned sig oförställt mot en nunna.

En stråkkvartett spelade från galleriet, men Albinonis sedliga musik dränktes nästan av sorlet från hundratals röster. Gemmas öron urskilde en kosmopolitisk kakofoni av franska, italienska, engelska, spanska och något ovanligt språk hon inte kunde identifiera – ryska, kanske, eller någon konstig dialekt. Sceneriet var både bisarrt och exotiskt: harlekiner, clowner, djävlar, pirater, skökor och änglar, alla belysta av den glittrande ljuskronan.

Ett moln av stämningsmättad Joy insvepte henne när hon omfamnades av en Kleopatra som tydligen blandade ihop henne med någon annan, och hon tappade snart bort Jean-Paul och Pascaline i den myllrande mängden. En kypare i strikt uniform erbjöd ett högt, smalt champagneglas från en silverbricka. Hon tog det tveksamt, väntande sig att stämningen skulle brytas av den söta, bubbliga vätska hon hade kommit att avsky efter hundratals filmavslutningspartyn.

Men detta var en sval, skummande smekning som smälte i munnen, ett delikat pirrande så fjärran från den vanliga förnimmelsen att hennes sinnen snurrade av överraskning. Taittinger, kanske, eller Cristal. En syndigt kostbar explosion av smak mot gommen, en pärlande virvel som gjorde henne upplivad men samtidigt iskallt nykter, som klarade och skärpte sinnena. Förtjust tog hon ännu ett glas från en passerande kypare och beslöt sig för att utforska omgivningarna i sin nya, anonyma skepnad.

Hon rörde sig genom folkträngseln, pliktskyldigt spanande efter Jean-Paul och Pascaline men i själva verket glad över att vara ensam.

De strikta, svartvita kyparna bröt av mot mängden där de cirkulerade och erbjöd champagne och frestande hors d'œuvres: kullar av kaviar, glimmande som grå pärlor på en bädd av is, omgivna av trekanter av rostat bröd, hackat ägg och salladslök arrangerade i form av en exotisk blomma; ostron i öppnade skal på kuddar av salt doftande, grönt sjögräs och dekorerade med citronskivor; papperstunna skivor av rökt lax ordnade som fjällen på en hoppande fisk och prydda med saftig kapris och svarta oliver. Räkor med en härlig, kryddig dip, musslor inlindade i bacon, och musslor i vinägrettsås tävlade med mer exotiska rätter. Aromerna fick det att vattnas i munnen och blandade sig med doften av exotiska och dyra parfymer på heta och upphetsade kroppar.

Gemma läppjade på champagnen och följde med mängden mot andra änden av rummet. Trygg i sin förklädnad tjuvlyssnade hon skamlöst på samtalen.

"Men ingen, absolut ingen åker till Monte Carlo numera, det är så ..."

"Helt förstörd över att förlora Matissen, men den var åtminstone försäkrad till dubbla marknadsvärdet – man får inte ha någonting i fred på Rivieran nu för tiden ..."

"Så rart av dig, men det är förstås en imitation. Den lille gubben på banken blir alldeles ifrån sig så fort jag försöker ta diamanterna ur bankfacket, och så är det ju dessa trista försäkringsvillkor ..."

Samtalen var nästan lika surrealistiska som omgivningen, avgjorde Gemma. Nu kom hon in i ett stort, svartvitt rum. Golvet var i svart, ådrad marmor och väggarna stramt vita. I nischer stod ovärderliga Beninbronser, och Albinonis högtidliga musik ersattes av långsam, hetsande jazz ur dolda högtalare. Mitt i rummet, på ett stort block av vit marmor, poserade två ebenholtssvarta figurer, en man och en kvinna, i en kärleksakt. Deras kroppar belystes av dolda spotlights.

Mannen tycktes glöda under lampornas heta sken, svart och glänsande. Han vilade på ena armbågen med munnen över en dunkel bröstvårta, och hans erektion avtecknade sig som en stor, mörk stång mot kvinnans lår. Kvinnan låg i en vidöppen ställning med särade ben och utsträckta armar. En ström av tjockt, svart hår ormade sig över den vita marmorytan.

Det tog några ögonblick innan Gemma märkte att de var verkliga.

Det var chockerande men egendomligt upphetsande, och hon kände en långsam puls börja slå mellan benen när mannen flyttade på sig, rörde vid kvinnans lår, makade hennes ben ännu längre isär. Kvinnans kön var fullt synligt, de mörkt rosa blygdläpparna uppsvällda och glänsande, hennes klitoris framträdande som ståndaren på en exotisk blomma.

"Föreställningskonst? Helt passé", hörde Gemma en röst bakom sig mumla, och så det torra svaret: "Inte så värst passé, raring. Titta noga!"

Nu kände han på henne, prövade hennes upphetsning. Ett av hans fingrar försvann in i hennes tunnel, och Gemma kände en häftig sammandragning inom sig. Han stack in ett andra finger, så ett tredje, och stötte dem ut och in i kvinnans kropp tills han var nöjd. När han drog tillbaka handen glänste fingrarna våta. Han lade dem först mot hennes läppar och sedan mot sina egna.

Gemma drog efter andan. Det var något bisarrt erotiskt med att stå ensam i en klunga främlingar, innesluten i en anonym lystnad, en ljuvt obscen delaktighet. Alla var tysta nu, och stämningen var tät och förväntansfull. Mannens ryggmuskler spändes när han beredde sig att bestiga kvinnan och långsamt sänkte sig ner mellan hennes lår. Gemma stirrade som förhäxad av hans enorma erektion.

Hon kände en het skälvning när han började röra sig, anade att kvinnan kanske var för trång för att kunna ta emot honom, och sedan, just när han trängde in, hördes ett lågt stön som kunde ha varit en kvinnas jämmer eller en ton från saxofonen, och det blev alldeles mörkt i rummet. Runt omkring sig kände Gemma hur folk drog in luft, som om alla hade hållit andan, hänryckta av den svartvita sinnligheten i den scen som nyss utspelats inför deras ögon.

Ljus tändes ovanför en stor, valvformad öppning i bortre änden av rummet, och som på en given signal drog sig folkmassan långsamt ditåt och lämnade de ebenholtssvarta älskarna i mörkret. När Gemma närmade sig valvet märkte hon att jazzmusikens och kvinnans låga stön överröstades av de påstridiga, lätt disharmoniska tonerna från en sitar.

Rummet var dämpat belyst, ett blekt ljus strömmade från hundratals snidade elfenbenskulor som hängde i kedjor från taket. Eldrött, guldmönstrat silke draperade väggarna, och under Gemmas fötter låg en överdådigt gulmönstrad kinesisk matta. Hon betraktade de stora, förgyllda Satsumaurnorna, den rörliga poesin i Tanghästarna och den blåvita fulländningen hos Mingvaserna som stod i nischer runt väggarna, men hennes blick drogs så gott som genast mot rummets mitt.

På en estrad dansade två kvinnor lättjefullt till sitarmusiken. De var orientaler, med gyllengul hud och korpsvart hår. Deras nakna, hårlösa, nästan barnsliga kroppar rörde sig flytande och graciöst. Den heta upphetsning som gripit Gemma medan hon iakttagit mannen och kvinnan, blev till en varm glöd när hon hängav sig åt den diffusare, mer sensuella stämningen i dansen.

Kvinnorna smekte varligt varandra medan de rörde höfterna till sitarens svajande toner, och Gemma blev alldeles torr i munnen när hon såg dem linda sig om varandra och åter skiljas. Hon tömde sitt champagneglas, och omedelbart dök en kypare upp med ett nytt.

Det låg något egendomligt gripande över de två kvinnorna som rörde sig tillsammans, sensuellt snarare än sexuellt, mer lockande än eggande. Sitarmusiken skapade en atmosfär av overklighet.

Och sedan började både musiken och ljuset tona ut medan kvinnorna tryckte sig mot varandra, mage mot mage, lår mot lår, med fingrarna slingrande mellan låren i en alldeles egen dans.

Gemma kände bröstvårtorna styvna och skrevet bli tungt, men nu lockades gästerna av dämpade trumvirvlar vidare in i ett annat rum, en skuggig sal doftande av rökelse.

En kvinna ormade sig genom folkmassan, stampande i takt med trumman. Hon var mörkt exotisk, klädd i rosa, florstunna ballongbyxor. I naveln satt en rubin, hennes långa mörka hår böljade fritt och hennes bröst var bara. Automatiskt delade sig mängden för henne, och snart var hon ensam i mitten av rummet. Hon vaggade långsamt med höfterna, stötte rytmiskt med underlivet som i älskog, gned sig mot en osynlig älskare och ryste. När kvinnan började skälva av upphetsning kände Gemma hur samma hypnotiska, erotiska hetta grep även henne.

Dansaren skakade med axlarna, hennes bröst gungade, magmusklerna spändes som för att välkomna en borrande manslem, och musikens rytm blev snabbare. De slingrande höfterna arbetade fortare och fortare, och Gemma kände hur hon omedvetet började röra sig likadant, fångad av musiken och dansarens trollkraft.

Han iakttog henne, såg de ofrivilliga små vågrörelser som var hennes kropps svar på den hetsande musiken, föreställde sig hennes silverblonda hår utsläppt och böljande precis som egyptiskans, och blev belåten.

"Jag tycker om det", mumlade han lågmält till sin vän. "Jag tycker verkligen om det."

"Det gläder mig att höra", löd det älskvärda svaret.

Det var som om dansaren drevs mot klimax av sin egen kropps vällustiga frenesi, och när musiken slutade med ett sista trumslag lät hon höra ett skarpt rop och föll ihop på golvet. Spänningen i gruppen var nästan påtaglig när den drog vidare mot nästa upplevelse. Nu stod det klart för Gemma att de vallades genom en sensuell labyrint, lockade av ljuset och musiken, och hennes upphetsning var så stark att det nästan var outhärdligt.

Allt blev overkligt, och hon fick bara ett vagt intryck av ett rum med glasväggar och en ångande bassäng. Hon var dimmigt medveten om lummigt, exotiskt lövverk där skrien från bjärt färgade papegojor ekade i en djungel uppblandad med ålande, hala, nakna kroppar, och strax därpå hamnade de i en smal korridor kantad av antika, grekiska nakenstatyer.

Gemma var så het, svettig, uppeggad och omtumlad att hon bara ville komma därifrån. Den överdrivna, yppiga dekadensen var överväldigande. När hon såg en dörr som ledde ut i det fria lämnade hon folkmassan.

Den svala nattluften skänkte lättnad, och hon drog in den i djupa, skälvande andetag, drog ner dess friskhet i lungorna som om den skulle kunna svalka hennes upphetsning. Hon tog några snubblande steg och upptäckte att hon befann sig vid basen av det förfallna torn hon sett vid ankomsten. Frånvarande tänkte hon att hon bara kunde ha gått igenom den ena av slottets flyglar.

Hon kände sig både överstimulerad och utmattad och orkade inte ens föreställa sig vilka bisarra tablåer som skulle spelas upp medan festen framskred. Hon hade mest lust att smeka sig själv till klimax och sedan leta reda på Jean-Paul och Pascaline och lämna slottet, komma bort från denna eleganta, konstlade, perversa eroticism och ta sig tillbaka till forngraven, tillbaka till den ristade jägaren med sitt överdimensionerade, fallosliknande spjut, tillbaka till det hårdpackade jordgolvet där fantasier hade blivit till verklighet.

Hennes förvirring hade brutit den angenäma illusion som förklädnaden gett henne, och hon visste att hon befann sig på djupt vatten. Hon var inte hemmastadd med dylika vanor.

När de starka händerna slöts om hennes axlar och den sträva, vagt metalliska rösten nådde hennes öron, var hon nära att svimma av fruktan och lättnad och klentro.

"Jag vet vad du vill", sa han.

En plötslig åskskräll dränkte nästan orden, men hon var säker på att hon kände igen rösten, de korthuggna konsonanterna, de flytande vokalerna. En ljungande blixt lyste upp tornet, och hon undrade omtöcknat om själva naturen tog del i detta märkliga drama.

Men sedan glömde hon bort att tänka när hans händer letade sig in mellan hennes lår, drog ner blixtlåset och blottade hennes upphettade kön. Hon vred på sig, försökte vända sig mot honom, undfly honom, men hans händer låg om hennes nacke och tvingade ner henne på knä.

Hon kände tippen av hans penis mot korsryggen, kände att den letade sig in i springan mellan skinkorna, spårade en stig till hennes hemliga platser. Han gjorde ett uppehåll vid den spända mynningen till anus, och en rysning av svart njutning genomilade henne. Sedan makade han sig framåt och särade med lätthet på hennes blygdläppar. Hon kände sitt eget hull sluta sig om honom. Vid ingången hejdade han sig igen, cirklade bara runt den med den uppsvällda spetsen av sitt organ.

Hon kände ett skälvande gensvar djupt inom sig. Hennes inre muskler spändes krampaktigt i väntan på den djupa stöten, men den kom aldrig. I stället förde han sin heta penis bakåt, till den känsliga, hemliga passagen och tillbaka till korsryggen.

Om och om igen upprepade han smekningen, ömsom långsamt, ömsom snabbt och ursinnigt. Ibland trängde han in ett litet stycke, ibland stötte han mot hennes uppsvällda klitoris. Han varierade rytmen och höll henne kvar på randen. Beröringen lämnade efter sig ett hett och fuktigt spår, en svidande hunger. Alla hennes sinnen koncentrerades på hans penis lystna penseldrag mot hennes hud.

Åskan som mullrade i öronen på henne kunde ha varit pulsen i hennes blod. När orgasmen slutligen kom var det som om blixten som ormade sig över skyn hade banat sig in i hennes kropp, så elektrisk var känslan när han äntligen borrade sig hela vägen in.

Den genomträngande njutning som böljade genom henne var så stark att hon vred sig, och det värkte i varenda nervtråd ända från fingertopparna ner till tårna. Hon kunde ha gråtit av ren och skär extas, men i stället skrek hon högt när utlösningen kom. Hon var så omtöcknad att hon knappt kände när han drog sig tillbaka. Ett ögonblick senare, när hon lyckats samla krafter till att lyfta huvudet, var han borta.

3

Det var nästan midnatt. I slottet samlades gästerna i den gigantiska balsalen som utgjorde själva hjärtat i huset, ett magnifikt rum med förgyllningar och vit marmor och spegelväggar som upplystes av stora kristallkronor. Där fanns ingen musik, bara en förväntansfull tystnad medan gästerna tog in den spektakulära tablån i salens mitt.

Det var en enorm, kubistisk skulptur, disharmonisk och fängslande, av en man och en kvinna i en omfamning. De var av solid marmor, och de geometriska formerna bröts bara av hennes tunga, triangulära bröst och hans massiva, avlånga stånd. Båda figurerna var vita, utom mannens penis, som var i rödådrad marmor och försvann in mellan kvinnans lår. Statyn avbildade inträngandets väsen, oförblommerat och ursprungligt. Och trots, eller kanske på grund av, att figurerna bara var kubiska symboler, förkroppsligade de sexualitetens rena, oförställda kärna.

Kring skulpturens bas stod tolv par, nakna män och kvinnor arrangerade i samma pose. Deras kroppar möttes nästan. Männen väntade på randen till inträngandet, med erigerade organ lika röda och utspända som skulpturens marmorstake. Kvinnorna stod med särade lår, väntande på att ta emot dem. De var orörliga. Om det inte hade varit för svetten som glänste på deras pannor kunde man ha tagit dem för stenstoder.

Gästerna var också orörliga, en olustig stillhet blandad med växande förväntan medan de väntade på att scenen skulle fullbordas. Oberörda kypare gled genom mängden och tryckte tyst fyllda champagneglas i slappa händer.

Alla hade gått igenom den sensuella odyssé som Leo hade skapat, passerat rum efter rum, kittlade och eggade av dofterna, färgerna, musiken, de erotiska tablåerna som utspelats. Detta var höjdpunkten. Klimax. Alla var berörda, några smått chockerade, av den nakna sexualiteten hos skulpturen och dess mänskliga motsvarigheter.

"Listigt", mumlade Alexei till Leo, som stod bredvid honom med ett småleende i ansiktet. "Brancusi?" frågade han och syftade på skulpturen.

"Hans skola", svarade Leo lågt. "Ah, nu börjar det."

En gonggong ljöd – det första midnattsslaget. På dess kommando stötte männen till. Tjocka, uppsvällda stakar försvann in mellan kvinnornas lår och återskapade den rena, brutala symmetrin hos skulpturen.

Från gästerna hördes en kvävd flämtning, som om var och en av dem hade blivit penetrerad av ett manligt organ, genomborrad av den uppsvällda marmorlemmen.

Och sedan drog sig männen tillbaka i perfekt samstämdhet och avslöjade glänsande penisar, stenhårda och pulserande, innan de stötte in igen när gonggongen slog en andra gång. Och trots att de markerade tiden med varje stöt, förkroppsligade sekundernas exakta och rytmiska gång, verkade ögonblicket dra ut i det oändliga.

Det enda ljud som hördes mellan klockslagen var smackandet av hud mot hud. Och aktörerna var inte längre stela, opersonliga symboler; de var män och kvinnor som klöste efter utlösning, som dansade en ursprunglig dans på gonggongens befallning. På det tolfte slaget nådde de klimax, och rummet tycktes uppfyllas av lättnad, av euforisk tillfredsställelse. En explosion av hundratals champagnekorkar hälsade det nya året. Medan gästerna kramades och önskade varandra gott nytt år slank de tolv nakna paren ut ur rummet.

"Inga ballonger? Inga girlanger? Inga pappershattar?" sa Jay Stone, som hade sällat sig till Alexei och Leo vid väggen. Han hade avsett att låta sardonisk, men även i hans egna öron lät hans röst ansträngd, och han andades för fort.

"Jag glömde att ni amerikaner har så sofistikerad smak", svarade Leo leende.

På andra sidan rummet betraktade Gabrielle de Sevigny sin älskare med en blandning av olust och upphetsning. Han var mycket stilig i sin smoking och han stod tillsammans med två långa, mörka män hon inte kände; den ena utklädd till Satan och den andra tvetydig i svart, lång sammetscape.

Hennes kropp var het och nästan olidligt uppeggad av det bisarra och erotiska bildspel som Leo hade iscensatt, men i hennes huvud gick tankarna runt. Det var en sida hos honom som hon knappt känts vid, knappt vågat misstänka: en iskall, beräknande, sensuell kännare vars mörka djup nätt och jämnt hade avslöjats av de iögonenfallande tablåerna.

För Leo var detta en ren bagatell, trodde hon, något lustigt att underhålla gästerna med.

Hon såg ner på sin klänning, plötsligt missnöjd med sin maskeraddräkt. Hon hade velat ha något sexigt och suggestivt. Helt kort hade hon lekt med tanken på att uppträda som markisinnan Pompadour,

Ludvig XV:s älskarinna, eller som Katarina den Stora, den notoriskt lösaktiga monarken, men hon hade avfärdat idéerna som klichéer. Dräkterna var dessutom för voluminösa, för döljande. Efter mycket grubbel hade hon beslutat att klä sig som en tjugotalsflicka, i hopp om att locka Leo med den oemotståndliga, flirtigt lättsamma dekadensen från den perioden.

Alltså var hon klädd i ett knälångt, silverskimrande fodral av glänsande pärlor som fångade upp ljuset. Slitsen i sidan gick så högt upp att ett svart strumpeband skymtade så fort hon rörde sig. Hennes strumpor var i tunt, svart silke, och skorna var stilettklackade. Diamanter dinglade från hennes öron, blixtrade runt handlederna och gnistrade i pannbandet.

Hon visste att hon var vacker, sexig, åtråvärd – och hon förstod nu att det inte var tillräckligt. Det kanske det aldrig hade varit.

Hon gick fram till Leo med ett svalt, uttråkat uttryck i ansiktet, trots att hennes hjärta bultade.

"Gabrielle, min kära!" Leo kysste henne välkomnande på båda kinderna. Det var inte mer än den vanliga, hövliga hälsningen bekanta emellan, men blotta känslan av hans läppar mot hennes kind fick hennes blod att flyta hett och tjockt.

"Får jag presentera mina vänner, Alexei Racine och Jay Stone." Några mumlade artighetsfraser, och så frågade Leo: "Vad tyckte du om mina små förströelser?" Hans ögon glödde som eldkol.

"Det var … roande", svarade hon med en elegant axelryckning. "Ja, mycket roande. Jag visste inte att du var så intresserad av … skulptur."

"En av mina främsta passioner", sa han ledigt. "Vill du se mer?"

Hettan fanns kvar i hans ögon, konstaterade hon med lättnad. "Ja, gärna", svarade hon och kunde knappt dämpa en rysning av vällust när han drog med handen över hennes nakna arm och kupade den runt armbågen.

"Ni ursäktar väl, Jay och Alexei? Den här vägen, min kära."

Han förde henne ut ur balsalen, förbi flera rum som var lyxigt inredda i blått, vitt och guld, och sedan genom en lång korridor kantad av förgyllda speglar och upplyst av kristallkronor, in i en rad sammanhängande rum med så påkostad dekor att Gabrielle höll andan.

De gick in genom en liten dörr dold av en gobeläng, och hon fann sig stå högst upp i en dunkelt upplyst, smal stentrappa. Leo gick tyst före tills de kom ut i ett långt rum med lågt i tak och sluttande golv. En skog av stenpelare stöttade taket. Det var svalt och kusligt, och Gabrielle huttrade till.

"Vad är det här för ställe?" Hennes röst ekade.

"En del av det gamla kärntornet", svarade han och gick mot en stor trädörr förstärkt med järnband. "Jag har funderat på att göra om det till vinkällare, men tjänarna är så skrockfulla."

Han gjorde en gest åt vänster. Hon kisade in bland pelarna och såg några rostiga metallgaller.

"Fängelsehålorna", förklarade Leo. "Och det här", fortsatte han och öppnade en tung trädörr, "var tortyrkammaren."

Han föste henne in i rummet med handen mot hennes rygg. Det var så mörkt att hon inte såg någonting. Då hördes skrapandet av en tändsticka, och en fackla på väggen flammade upp.

Det var som en scen från något surrealistiskt helvete. Förvridna, svarta metallskepnader stod sammangjutna. De såg plågade ut, som sinnebilder av tortyr. Några var människoliknande, andra bara hotfullt formade.

"Modernt, förstås", sa Leo. "Ett av de få konstverk jag har låtit tillverka."

Gabrielles blick fastnade på ett mänskligt ansikte med slutna ögon och bakåtkastat huvud. Munnen var förvriden i något som kunde vara pina men också extas.

"Men det fångar stämningen perfekt, tycker jag."

Där fanns knivar och gissel, piskor och kedjor, underliga och bisarra former hon inte kunde namnge. Hennes blick drogs till en kvinnlig nakenfigur med bröstvårtorna genomborrade av små pilar.

"En ganska lekfull sak på sätt och vis. Han var säkert influerad av Tinguely och Saint-Phalle."

I det flackande fackelskenet tycktes figurerna röra sig, ändra form. Det som hon först hade trott var ett spjut inkört i en groteskt hopdragen mage blev till ett enormt, utspänt mansorgan som grävde i vecken på kvinnligt hull. Tänger som klämde en kvinnas bröst förvandlades till kramande fingrar. Skulpturens torterade form omslöts på något sätt av en djup, mörk erotik.

"Vad säger du? Tycker du om den?"

"Jag tycker", sa Gabrielle lågt, "att den är skrämmande." Hon hade tänkt yttra en lögn, men det var omöjligt att förställa sig inför ett verk som utstrålade en sådan mäktig brutalitet.

"Utmärkt", mumlade Leo.

Han lade händerna på hennes axlar och vände henne mot sig. Hon slappnade av en aning, lättad över att få vända ryggen åt den groteska metallmassan, och väntade på hans kyss, hans läppars varma beröring.

I stället drog han ner det glittrande pannbandet för ögonen på henne. Instinktivt stelnade hon till och ville sträcka upp handen, men han fångade in hennes handleder.

"Som du kanske har gissat", sa han lugnt, "är jag särskilt fascinerad av skulpturens fysiska aspekt, transformationen av kött till sten eller brons. Kontrasten tycker jag alltid framhävs av ..."

Orden sköljde över henne utan betydelse. När hon var berövad synen och rörelseförmågan skärptes hennes övriga sinnen. Röklukten från facklan föreföll starkare, den dyra parfymen i hans rakvatten mer genomträngande. Hennes hud knottrade sig när han letade upp blixtlåset i klänningsryggen. Ljudet när plagget hasade ner på golvet lät onaturligt högt.

Med ena handen om hennes midja lyfte han henne ur de skimrande silvervecken och bar henne några steg tills hon kände kall, förvriden metall mot ryggen. Hans erektion var hård mot hennes lår, och hon väntade sig att när som helst få känna den nosa sig in mot skrevet.

I stället lyfte han upp henne högre, och med ett metalliskt klickande slöt sig något först om hennes ena handled, sedan om den andra. Han släppte henne, och när hon trevade med fötterna efter golvet kände hon metall stryka mot insidan av låren.

Leo tog ett steg tillbaka för att beundra effekten. Hennes armar var sträckta över huvudet, ena handleden omsluten av en svart handboja, den andra fångad mellan en dödskalles huggtandade käkar. Mot den hårda, svarta metallen skimrade hennes hud pärlvit, en vithet som bara bröts av hennes mörka könshår, det svarta penis-spjutet mellan hennes ben och hennes svarta strumpeband och strumpor.

Det var mer än oanständigt, avgjorde han. Ställningen var nästan obscen. Det kanske berodde på det glittrande bandet som skymde hennes ögon. Om bara hennes hår haft en annan färg ... Gabrielles korpsvarta hår smälte för mycket ihop med den mörka metallen.

En blondin skulle ha varit bättre, en silverblond hårman ...

"Leo, vad är det här?" frågade Gabrielle med lätt darrande röst.

"Det här? En skapelse som kallas 'Tortyren'. Jag ska visa dig."

Hon kände hans finger mellan blygdläpparna. Hon var torr och trång, all upphetsning hade kylts ner av den hotfulla skulpturen, och hans beröring var inkräktande, nästan smärtsam. Men hans fingrar strök hennes klitoris om och om igen, tills den första svedan började upplösas och hon blev het och fuktig. Hennes nedre läppar svullnade och blev hala.

Han smekte henne hårt, nästan alltför hårt, ett huggande tryck som snabbt tände pulsen mellan hennes ben. Hon kände de tunna vävnaderna svälla medan eggelsens eld uppslukade hennes kön, en brännande hetta som följde hans fingers väg.

All känsel samlades i det hungrande hullet mellan benen, i hans fingrars snabba stötar. Hon glömde den förvridna svarta massan bakom sig, de osedda spetsarna som grävde sig in i axlar och rygg, den kalla metallen mellan låren. Hon glömde till och med att andas när den fladdrande lågan inom henne växte och svällde.

Hon kände den första krusningen i maggropen, den första sjungande vågen när hennes kropp samlade sig till klimax, och hennes benmuskler började skälva.

Genast ändrade han rytmen, rörde fingrarna varsamt, utforskade de svällande, skära vecken runt klitoris, nekade henne den slutliga, orgasmiska beröringen. Hon kände knoppen bulta och pulsera när han väjde för den, drog fingret runt det skyddande hullet, en skicklig, subtil stimulans.

När hon började sväva med denna nya rytm, förlora sig i den mjuka glöden som ersatte den brännande hettan, finna sig till rätta i den drömmande, loja värmen, ändrade han rytmen igen och trummade med fingret i snabba staccatostötar mot hennes klitoris.

Listigt, skoningslöst, förde han henne till randen av orgasmen och förvägrade henne den slutliga, renande explosionen, tills njutningen förvandlades till en dov värk och den ljuva längtan blev till ett klösande behov.

Han hettade upp hennes kropp, svalkade den igen, skrämde och lugnade den, framlockade den svepande röda dimman som genomsyrade hennes sinnen och förjagade den sedan innan den hunnit uppsluka henne. Och han gjorde om det gång på gång, övergick till hennes bröst när hon var nära att komma på grund av handen mot hennes kön, sög och bet dem till hårda, värkande spetsar, drog dit all hennes känsel, bara för att återgå till hennes kön och köra in tungan djupt i henne.

Hennes kropp gav sig hän åt galenskapen, och hon insåg syftet med denna paradoxala älskog, insåg hur säkert och skickligt han hade fört henne till detta mörka, demoniska upplösningstillstånd där ingenting spelade någon roll utom förlösningen.

Hela hennes kropp kändes svullen, bröstvårtor och blygdläppar brann, den heta tidvattensvågen växte och sjönk tillbaka och steg igen, medan han använde mun, händer och kuk till att driva henne till vanvett och sedan neka henne klimax.

Med sin penis sökte han hennes öppning, kretsade kring den våta, värkande tomheten, stack in tippen och fick hennes smältande inre vävnader att minnas känslan av hans hårda lem innan han drog ut den igen, kretsade kring öppningen på nytt och lät spetsen glida in en liten bit, utan att ens snudda vid de ryckande muskler som trängtade efter hans beröring.

Hon vred sig hjälplöst, kände hård metall skrapa mot ryggen, axlarna och skinkorna och förstod att det var det förvridna metallhelvetet. Det kändes nästan som en lättnad, en motvikt till det genomträngande, hudflängande behov som hotade att sluka henne.

Hon var smärtsamt utvidgad, hennes inre läppar var svullna, hennes bröstvårtor stramade och värkte i ett djuriskt behov av utlösning, ett överväldigande, atavistiskt behov som överträffade allt hon upplevt. Hon kände hans tjocka penis åter tränga in ett stycke för att snabbt dras tillbaka.

Då skrek hon, ett urskrik av raseri och frustration som genljöd genom kammaren och blandade sig med Leos låga skratt.

"Utmärkt, Gabrielle, utmärkt. Nu börjar du visst förstå skulpturens väsen."

Utanför väste ännu en blixt över skyn och lyste upp det gamla kärntornet. Gemma iakttog den med dimmiga ögon. Det var overkligt, surrealistiskt, detta kusliga spel av bländande ljus och djup, svart skugga. Det avslöjade ett landskap som var både vackert och gåtfullt hotande, en scen som mer hörde hemma i filmens värld, den värld som beboddes av demonälskaren i "Vampyrens berättelser".

Nej, det ville hon inte tänka på. Med långsamma, klumpiga rörelser lyfte hon händerna och drog ner dräktens huva. Hon släppte lös det blonda hårsvallet och kammade det med fingrarna, på något sätt lugnad av den hemvana handlingen.

Utan att tillåta sig att tänka alltför noga på vad hon gjorde rättade hon till kläderna, lyckades dra upp blixtlåset och ignorerade den kladdiga värmen mellan låren. Ostadigt kom hon på fötter.

Med avsikt höll hon alla tankar borta från hjärnan medan hon lämnade den sönderfallande ruinen och återvände till slottets klara ljus. Men för vart steg hon tog talade hennes kropp till henne, påminde henne om den tunga värken mellan benen, om orgasmens bitter-ljuva eftersmak.

Han iakttog henne när hon kom in i balsalen. Det silverblonda håret som fängslade honom så oerhört föll fritt runt hennes axlar och nerför ryggen. Men hennes ögon intresserade honom mer just nu. De var glasartade, vaksamma, ogenomträngliga, och hon rörde sig som en sömngångare, som om hon hade all uppmärksamhet riktad inåt och inte var medveten om omvärlden.

Han kände glöden tillta i skrevet, erfor en absurd impuls att ta henne här och nu, ta henne än en gång, rycka bort slöjan från hennes ögon och det svarta lädret från hennes kropp, se hennes blå ögon dränkas av tårar medan han borrade sig in i henne och tvang hennes kropp att erkänna sin mästare, sin impresa-rio.

Han smålog torrt och drack lite mer champagne.

Tidsanpassning, påminde han sig, betyder allt.

Men han höll ögonen på henne medan hon dröm-likt rörde sig genom trängseln, frånvarande tog emot ett glas av en passerande kypare, undvek klungorna av babblande gäster och sedan försvann genom det mag-nifika valvet till korridoren.

Förstrött undrade han vad eller vem hon trodde att hon letade efter. Och vad hon skulle göra när han slut-ligen lät henne finna det.

Maskeradbalen på Chateau Marais urartade aldrig till vad som skulle kunna kallas en orgie. Omgivningen var förvisso vräkig, till och med en aning pervers, men alltför elegant för orgier, och gästerna – lika vräkiga och perversa – var alltför sofistikerade. Men det fanns diskreta, skuggiga utrymmen, nätt och jämnt dolda vrår och alkover, där ett par, om de så ville, kunde mötas och släcka lustar som upptänts av Leos tablåer.

I den långa, dunkelt upplysta korridoren med grekiska nakenstatyer, nakna mansfigurer med tomma ögon och fint skulpterat könshår, ryste Pascaline av vällust när hon kände en främlings händer mot sina bröst. Jean-Paul tryckte bakifrån en lugnande kyss på hennes axel medan han knådade hennes skinkor.

Hon stod naken mellan dem, lika stolt och ogenerat blottad som de väldiga skulpturerna bredvid. Båda männen var fullt påklädda. På något sätt ökade det hennes upphetsning, fick henne att känna sig än mer sinnlig och vågad.

Främlingen hade varit Jean-Pauls idé. Han hade framlagt erbjudandet i beslöjade termer och överraskat både Pascaline och mannen som var utklädd till Satan medan de hade stått tillsammans och läppjat på champagne vid basen på den magnifika, kubistiska skulpturen i balsalen.

Och nu stod den främmande mannen framför henne med sina behandskade händer kring hennes bröst, rytmiskt smekande det svällande, vita hullet medan Jean-Paul strök hennes skinkor. Hon kände bröstvårtorna svälla av blod, styvna till ömmande spetsar, och det pirrade i ryggslutet och hennes skrev fylldes av tung hetta.

Främlingen föll skickligt in i de rytmer Jean-Paul fastställde. De långa, stadiga smekningarna som nätt och jämnt snuddade vid hennes vårtgårdar imiterade perfekt Jean-Pauls vana händer när han särade på hennes skinkor och bara helt flyktigt rörde vid anus.

Hennes dolda läppar svällde och fuktades av eggelse och öppnades som kronbladen på en exotisk blomma. Plötsligt ivrig drog hon ner främlingen mot sina bröst, girig efter att känna hans mun mot bröstvårtorna och det motsvarande heta suget i sitt sköte. Jean-Paul lirkade försiktigt in ett finger i hennes stjärthål.

Eftersom hon var hal av upphetsningens safter kände hon ingen smärta, bara en skarp pil av mörk vällust. Hon slöt ögonen och hängav sig åt njutningen då främlingen sög hårdare på hennes bröstvårtor och snabbt växlade från den ena till den andra, medan Jean-Paul rörde fingret fortare och fortare i hennes bakre öppning.

Hon kände orgasmens vältrande våg samlas i skrevet, väntande på att genomströmma henne i böljande svall. Detta var det mest utsökta ögonblicket, sekunderna strax före klimax, just när hon kände igen och välkomnade den förestående upplevelsen. Pascaline slog upp ögonen.

Framför henne stod engelskan, Gemma, med de blå ögonen uppspärrade men märkligt uttryckslösa. På gränsen till att tappa kontrollen log Pascaline mot henne, ett vilt, djuriskt leende som tycktes inbjuda henne att vara med, att söka sig en plats i den köttsliga triangeln.

För en stund tycktes Gemma tveka. Hon tog ett ytterst litet steg åt deras håll, men så skakade hon lätt på huvudet och skyndade därifrån.

Just då gick det för Pascaline, och hon slöt ögonen igen.

Gemma steg nerför slottets grandiosa yttertrappa med huvudet fullt av blixtrande, lösryckta synminnen. Den massiva, primitiva skulpturen i balsalen. Den enorma, röda marmorstaken i vinkel mellan marmorkvinnans skulpterade, vita lår. Den vilda hettan i Pascalines ögon, mannens huvud nerböjt mot hennes bröst. Den rättframma, kompromisslösa nakenheten hos de antika statyerna bredvid dem.

Utan att tveka tog Gemma av från uppfarten och tvärade över gräsmattorna som hon var säker på måste leda till skogen. En genväg över ägorna skulle föra henne förbi forngraven, över ängen och hem till stugan på mindre än tjugo minuter.

Hon skulle inte stanna vid graven. Hon skulle inte ens låtsas om den höga kullen, hemvisten för hennes fantasiälskare som så oväntat och orimligt hade dykt upp i kväll i skuggan av Chateau Marais gamla kärntorn.

Hon skulle gå raka vägen till stugan. Och när hon kom in skulle hon låsa dörren, slå upp en redig konjak, skala av sig det svarta läderfodralet som nu klibbade som en ovälkommen andra hud, och ta ett bad.

Eller kanske bara svepa in sig i den gamla frottébadrocken och krypa i säng. Eller lyssna på musik och ta en kopp te. Eller ta ett bad och lyssna på musik och dricka te samtidigt.

Plötsligt föreföll det henne extremt viktigt att avgöra om hon skulle dricka te eller konjak eller te och konjak, om hon skulle bada eller bara sitta i den mjuka soffan och låta musiken skölja över henne. Mahler, kanske, eller Beethoven.

Inte Albinoni i alla fall, de högtidliga och bedrägligt familjära toner som hade välkomnat henne till Chateau Marais.

Och inte jazz, det dämpade spinnande som hade länkat samman den svarta mannen och kvinnan i en köttslig akt mitt framför ögonen på henne. Nej, absolut inte jazz.

Och ingenting exotiskt som Ravel. Det skulle bara påminna henne om sitaren eller trumvirvlarna, om den parfymerade erotiken hos de två kvinnorna som hade slingrat sig om varandra, eller om magdansösens hypnotiskt förföriska rörelser.

Hon skulle nog inte lyssna på någon musik alls, avgjorde hon där hon gick genom ängens höga, svala gräs, och kände sig märkligt lättad över beslutet. Och ingen konjak. När hon kom hem skulle hon brygga sig en kanna te och dricka det sött och starkt, med rostat bröd med smör på. Hon skulle skära brödskivorna i strimlor som gick lätt att doppa, en trivsam lyx från barndomen.

Då, först då, i stugans frid och trygghet, i ensamhet, skulle hon tillåta sig att tänka. Att minnas.

Gryningen kantade natthimlen, och inne i Chateau Marais visade kyparna diskret det krympande antalet gäster till ett mindre rum intill balsalen. Musikerna spelade fortfarande dämpat, men gästerna dansade inte längre. De var trötta, halvberusade och utpumpade efter nattens festande och lät sig villigt föras in i det ombonade rummet.

Där fanns inget av balsalens överdådiga förgyllningar och kristallglitter. Det var som att komma in i en förföriskt rosenskimrande berså. Nyanser av blekrosa och gullivegult blommade på de fördragna gardinerna, och dukar i samma färger prydde borden som stod utplacerade mellan inbjudande fåtöljer och schäslonger.

Massor av knoppande rosor, i alla nyanser från laxrosa till pärlemor, från gräddvitt till saffransgult, vällde ur kristallvaser på varenda bordsyta.

Framför fönstret, på en rosa schäslong, låg en ung man och sov. Han var naken, slank, blond och muskulös, och totalt omedveten om gästerna som kom in. De brydde sig heller inte mycket om honom, tog honom kanske för en gäst som druckit för mycket. Tacksamt sjönk de ner i fåtöljernas famn. Samtalen var lågmälda och näsborrarna kittlades av den lockande doften av nybryggt kaffe från någon dold källa, den läckra aromen av apelsinjuice, varmt bröd och stekt bacon.

Mättade och skönt uttröttade av nattens exotiska, rika upplevelser satt de och hängde, växlade blickar i samförstånd och väntade på den upplivande frukostfesten.

De märkte knappt när flickan kom tassande in i rummet. Hon var också naken, endast skyld av sitt långa, rödblonda hår. Hon var slank och blekhyad, hade långa ben och höga, yppiga bröst med stora, skära bröstvårtor. Graciöst fortsatte hon fram till fönstret och drog ifrån de tjocka sidengardinerna så att det rodnande gryningsljuset trängde in.

Gästernas uppmärksamhet fångades av ljuset, och de tystnade när de såg flickan närma sig den sovande gestalten på schäslongen. Han rörde sig inte när hon med smidiga fingrar började väcka liv i hans penis. Varligt slöt hon dem om det långa skaftet och smekte honom till full erektion.

Lättjefullt stack hon sedan in handen mellan sina lår, särade på blygdläpparna och satte sig grensle över hans kropp. Han sov vidare medan hon sakta började gunga med höfterna. Samtidigt smekte hon sina bröstvårtor och fick dem att svälla och styvna. Nästan omärkligt började hon röra sig i en allt snabbare takt, och hennes ljusa skinn rodnade av upphetsning.

Kanske på grund av att mannen sov låg det något sällsamt oskuldsfullt över hennes rörelser, en oförstörd fräschör som var mer värmande än eggande.

"Den rosenfingrade gryningen?" kommenterade Alexei och betraktade de stora, skära bröstvårtorna. "Lite väl teatraliskt, Leo."

"Gryningen rullar undan nattens stjärnor, där älskare ligger lönnligt länkade i ljuv lidelse", citerade Leo berusat och inte särskilt exakt. Mer prosaiskt tillade han: "Jag trodde att det teatraliska elementet skulle tilltala dig."

"För förutsägbart", svarade Alexei och tog inte blicken från de sammanslingrade gestalterna. "Han vaknar och hon får orgasm, förmodar jag, just när morgonen bryter in och solen stiger, den gamla dåren, den oregerliga solen som sliter älskare ifrån varandra ... En klyscha ända från Ovidius till Donne. Jag avskyr allegorier. Och jag föredrar en vassare poäng i slutet."

"Ingen som har sett dina filmer kan tvivla på det, min vän", sa Leo.

Då solen stigit högre, då den fyllde rummet med gyllene ljus och belyste de två älskande, slog mannen plötsligt upp ögonen och åstadkom en kraftig stöt med höfterna. Kvinnan som grenslade honom tappade sin jämna rytm och kom med ett lågt rop av förvånad vällust.

Samma soluppgång iakttogs av Gemma, insvept i sin urgamla badrock, med händerna om en kopp te som för länge sedan hade kallnat. På bordet framför henne låg de orörda strimlorna av rostat bröd som hon hade lovat sig själv. Där fanns också en konjaksflaska som hon ännu inte hade bestämt sig för att öppna, och hennes kalvskinnsinbundna kalender, uppslagen

69

på anteckningsbladen. Marginalen var full av klotter, meningslösa krumelurer som mynnade ut i intet.

Så fort hon kommit hem hade hon tagit en långdragen, ångande het dusch som både lugnade och piggade upp henne, utplånade minnet av den försåtligt förföriska läderdräkten hon hade lånat av Pascaline. Av en impuls hade hon tagit den med sig ner, och nu betraktade hon den grubblande.

Hon måste försöka komma till rätta med allt det märkliga och bisarra som hänt under de senaste dagarna. Den drömlika lojhet hon hade skyddat sig med efter natten i forngraven hade splittrats. Hon kunde inte längre lura sig själv med den tröstande men falska bilden av en drömälskare, en fantasifigur.

Hon läppjade på teet och grimaserade åt den beska smaken av kallt tannin. Tankspritt sköt hon undan koppen och fortsatte klottra i kalendern. Hon skulle kunna strunta i alltihop. Glömma att det någonsin hade hänt. Låtsas att hon inte alls hade gett sig till en främling som hade tänt upp henne och sedan mättat en hunger hon aldrig förr anat. Låtsas att han inte hade återvänt till henne och tagit henne i skuggan av det gamla kärntornet, fått blixtar att ljunga genom hennes kropp precis som de hade ljungat över skyn.

Det var inte likt henne att bära sig åt så här. I ett filmmanus skulle det ha verkat föga övertygande, i verkliga livet var det oroande. Mer än så: det var omöjligt. Omöjligt att kombinera den beslutsamma professionalismen hos en framgångsrik kvinnlig filmproducent som mot alla odds hävdade sig i en mansdominerad värld, med det oförställda, liderliga lättsinnet hos en kvinna som utan vidare gav sig åt en främmande man. Vilt och hämningslöst.

Hon klottrade lite mer, lämnade marginalen och drog sig in mot mitten av bladet. Hon var medveten om de två sidorna i sin natur – den myndiga yrkeskvin-nan, alltid oklanderligt vårdad och stenhårt behärskad, och den mer avspända Gemma som föredrog att dag-drömma och lata sig, barfota och jeansklädd. Stugan i Bretagne hade varit en gåva till detta andra jag, ett ställe där hon kunde kasta av sig yrkeslivets bojor, karriärkvinnans personlighet.

Med en rysning tittade hon på den svarta läder-dräkten. Kvinnan som hade burit den i natt, skrikit i het extas när den ansiktslöse mannen hade tagit henne intill det gamla kärntornet, var en främling för henne.

Hon skakade på huvudet. På kalendersidan såg hon att hon hade ritat en streckgubbe med en stor fallos utskjutande från grenen. Det var stenristningen från forngraven. Vad var det med den som fascine-rade henne så starkt, som gjorde bilden av jägaren så betvingande? Han var ansiktslös, liksom hennes anonyme drömälskare, definierad endast genom sitt massiva könsorgan.

Nej, ingen drömälskare, påminde hon sig. Förstrött tänkte hon tillbaka på sina tidigare älskare. De var inte många men inte heller för få, kanske ett tiotal, kanske en och annan som hon hade glömt.

Ett respektabelt antal för en kvinna på trettio.

Inte en enda hade rört vid hennes innersta väsen, upptänt henne sexuellt. De få gånger hon funderat på det hade hon lite vagt slutit sig till att hon nog var gan-ska kall. Inte frigid, men heller inte lättrörd.

Hon ryste igen och knöt badrocken tätare om sig.

Länge satt hon vid bordet, förlorad i tankar, och när det knackade på dörren stelnade hon till av över-raskning och fick lite hjärtklappning. Men hon insåg snart att hon bar sig fånigt åt och tvingade sig att gå och öppna dörren.

Utanför stod Pascaline i jeans och en bylsig vit tröja. Hennes kinder var röda av den friska luften, och hennes långa, röda hår var utsläppt. Hon höll en champagneflaska i handen.

"Jag tänkte att jag skulle titta över." Hon steg in i stugan och såg sig om med oförställd nyfikenhet. "Vi letade efter dig i slottet senare på natten, men vi såg dig ingenstans."

Gemma fick en plötslig, skarp minnesbild av Pascaline som hon sett ut vid deras senaste möte – med sin nakna kropp nätt och jämnt dold mellan två män och med ett vilt, triumferande uttryck i ögonen.

"Jag gick tidigt", förklarade Gemma lite tafatt och följde efter henne in.

"Men du hade väl roligt?" frågade Pascaline, ställde ifrån sig flaskan på bordet och satte sig till rätta i soffan.

"Nej. Jag menar ja. Ja visst", svarade Gemma automatiskt.

"Jag tror att du ljuger", sa Pascaline med huvudet på sned. "Kan du inte öppna champagnen? Det är nyttigt att dricka lite efter en sådan här natt. Det tillför någon sorts kemikalie som kroppen behöver. Och kan du inte säga vad du egentligen menar? Ni engelsmän avslöjar visst aldrig vad ni känner."

"Nej, vi gör väl inte det", instämde Gemma med ett motvilligt leende medan hon plockade med folien kring flaskhalsen. "Vi kallar det för artighet."

"Artighet", upprepade Pascaline tankfullt. "Mer förställning, tycker jag, och det är minsann inget nytt för oss. Det är nog därför jag trivs så bra här på landet."

"Förlåt?" sa Gemma förvirrat. Sedan skrattade hon åt Pascalines ironiska uppsyn. "Jag förstår inte vad du menar."

"I Paris, där vi är välkända, måste vi förstås vara respektabla för vårt arbetes skull", förklarade Pascaline och tog emot champagneglaset som Gemma räckte henne. "Som alla fransmän har Jean-Paul politiska ambitioner, och jag är Caesars hustru."

"Givetvis", sa Gemma som knappast kunde tänka sig en mindre lämplig Calpurnia än den yppiga, rödhåriga kvinna som hon nyligen hade sett naken i korridoren på Chateau Marais.

"Det är faktiskt sant", sa Pascaline med skärpa. "I Paris är jag oförvitlig. Men här får jag vara mig själv ... eller till och med någon annan än mig själv, vilket ibland är mer intressant. Mycket mer intressant."

"Det tror jag att jag förstår", svarade Gemma långsamt och erinrade sig de splittrade tankarna hon haft samma morgon.

"Ta lite champagne nu och kom och sätt dig hos mig." Pascaline klappade på soffdynan bredvid sig.

Gemma satte sig bredvid henne och ställde sitt glas på det låga bordet. När hon böjde sig fram delade sig badrocken så att hennes bröst skymtade, och hon drog hastigt ihop den.

Pascaline skrattade glatt. "Jaså, tror du att jag är en Sapfos dotter också?"

"Nej, nej", sa Gemma ursäktande och mindes det djuriska leende som Pascaline hade gett henne kvällen innan. Snabbt satte hon sig till rätta och försökte dölja sin förlägenhet genom att sträcka sig efter glaset.

"Du är rar", sa Pascaline. Hon log och strök varsamt Gemma över håret. "Men skulle det vara så förskräckligt om jag verkligen var lesbisk?"

Gemma tittade på Pascaline, såg det vågade, flirtiga skrattet i hennes ögon, och var själv tvungen att le.

"Nej, det skulle det inte."

"Bra", sa Pascaline. Hon böjde sig fram och kysste Gemma i mungipan. Det var en lätt kyss, varken inbjudande eller löftesrik, men ändå sexuellt vältalig på något sätt.

Underligt nog slappnade Gemma av vid beröringen av Pascalines läppar, som om den förkrossande förvirringen från morgonen sipprat bort under kyssen.

"Ja, du är som jag", konstaterade Pascaline, tömde sitt glas och slog upp ett till. "Vi är båda två kvinnor i en. Kanske fler. Du såg mig i natt?" Hon sneglade på Gemma.

"Ja, jag såg dig", svarade Gemma och fann till sin förvåning att hon inte var det minsta generad.

"Det var första gången för mig", avslöjade Pascaline både blygt och stolt och med en okynnig glimt i ögat. "Jag har aldrig varit med två män förut."

"Hur var det?" frågade Gemma innan hon hunnit hejda sig.

Pascaline dröjde med svaret och såg eftertänksam ut. "Det var skönt", sa hon till slut. "Annorlunda, och lite konstigt, men skönt. Det här ska jag tänka på när jag är tillbaka i Paris hos min chef, som är ett riktigt svin, och då kommer jag att le för mig själv."

Gemmas förbluffade ansiktsuttryck var så komiskt att Pascaline brast i skratt. "Nej, nej, vad tror du? Att jag ligger med min chef? Han har tjocka fingrar och luktar illa, och jag avskyr honom. Förresten skulle jag aldrig kunna vara otrogen mot Jean-Paul", tillade hon fullkomligt allvarligt.

Medan Gemma försökte få rätsida på den invecklade moralen i detta, fortsatte Pascaline: "Men han vill ha mig. Och han behandlar mig som en piga. Franska män kan vara svin. Men nu när jag ser på honom i Paris, kan jag tänka på att jag har gjort saker som han aldrig ens kan drömma om, och det kommer att kännas bra. Förstår du?"

"Nej. I alla fall inte riktigt", sa Gemma och tog äntligen en klunk av sin champagne.

"Det ger mig makt", förklarade Pascaline. "Makt i tanken. Som när jag bär svart läder i fantasin", tillade hon och nickade mot dräkten som Gemma hade haft på sig föregående kväll. "Du kände det också, eller hur?"

"Jag kände ..." Gemma tvekade. Hur skulle hon förklara det? Hon hade känt sig fri och utlämnad, nedstämd och lättsinnig på samma gång. En märklig upplevelse.

"Jag tänkte väl det", sa Pascaline som om hon läst Gemmas tankar. Så bytte hon spår. "Din chef, då? Är han också ett svin, som min?"

"Det kan han nog vara", svarade Gemma undvikande och var lättad över att få lämna den svarta läderdräkten och i stället tänka på Alexei Racines hotande spöke. Inte för att han skulle bli hennes chef, förstås, men ...

"Du behöver bara tänka på partyt och på vad du har sett, och kanske även gjort, så ska du få se", förklarade Pascaline med en smittande munter, listig glimt i ögat.

Gemma föll till föga för hennes charm och drack mer champagne. Pascaline hade rätt i att det var friskt och uppiggande, och hon kände hur hon livades upp av smaken.

"Berätta mer om partyt", bad hon.

Hon skrattade åt Pascalines beskrivningar av somliga av gästerna, tystnade när hon berättade om soluppgången, kom med häpna utrop inför skildringen av den överdådiga banketten som serverats till frukost och raden av limousiner som fört gästerna tillbaka till

Paris. Pascaline berättade målande och underhållande, med många humoristiska insinuationer, och Gemma roades av att lyssna på henne medan de tillsammans gjorde slut på champagnen.

"Men en sak var konstig", sa Pascaline med en liten rynka mellan ögonbrynen då hon reste sig för att gå.

"En sak?" skrattade Gemma. "Bara en?"

"Ja", svarade Pascaline allvarligt. "Det var mycket underligt. När vi skulle gå kysste vi varandra farväl, på båda kinderna – så här och så här – på franskt sätt, du vet?" Stående i dörröppningen kysste hon Gemma på båda kinderna, en opersonlig hälsning helt olik den mjuka kyss hon hade gett henne tidigare.

"Ja, jag förstår", sa Gemma.

"Jag stod och väntade på att få säga adjö åt Leo. Leo Marais, vår värd, du vet. Och en kvinna i silverklänning var före mig. Hon föll faktiskt på knä och kysste hans fötter. Väldigt konstigt, tyckte jag."

Under de följande dagarna erinrade sig Gemma idelig en brottstycken av samtalet med Pascaline. Tanken på att vara två kvinnor i en, eller kanske fler. Pascalines egenartade uppfattning om trohet och makt i tanken. Märkligt nog var det hela betryggande. Gemma kände sig lugnare, mer till freds med sig själv. Det var en frid hon inte ville rubba genom att besöka forngraven med dess jägarristning och dess minne av hennes drömälskare.

I stället läste hon boken av Trollope hon tagit med sig, och började i sakta mak att packa sina tillhörigheter. Den svarta läderdräkten, som Pascaline insisterat på att ge henne i present, vek hon omsorgsfullt ihop i botten av resväskan. Hon lyssnade på amerikansk rock på en fransk radiostation, städade stugan och började med växande tillförsikt se fram mot sitt arbete.

Det kanske inte skulle bli så tokigt att jobba åt Racine ändå. När allt kom omkring var han en begåvad regissör, och hon var en mycket kompetent producent. Eftertänksamt putsade hon de gamla, tjocka rutorna i fönstren och sökte sin spegelbild i dem. Hon älskade den gamla filmen som "Vampyrens berättelser" byggde på, och det nya manuset var hållbart, rent av inspirerat. Hon hade tagit ut budgeten till det yttersta, och rollerna var tillsatta.

Allt var på plats, och hon kunde inte upptäcka några brister. Racines rykte som skitstövel måste vara överdrivet. Det var nog inget annat än avund, ovilja, den vanliga illasinnade responsen på någon annans framgångar. Ja, tänkte hon och log när hon slutligen hittade sitt ansikte i fönsterrutan, allt skulle bli bra. Och om det blev tufft kunde hon alltid tänka på Pascalines makt i tanken. Bära svart läder i fantasin.

Det skulle inte alls bli så illa.

4

Det blev värre än hon kunnat ana.

De hatade varandra från första ögonkastet.

Det var som om en elektrisk stöt passerat mellan dem, en urladdning så intensiv att det nästan var skrämmande.

Racine kom en timme för sent till det första mötet. Skådespelarna och personalen, de flesta iförda jeans och tröjor, satt och hängde runt bordet i sammanträdesrummet, rökte, drack kaffe, utbytte skvaller och lät i smyg en konjaksflaska vandra runt. Gemmas assistent Jane, iögonenfallande i en blanksvart läderklänning som säkert kostat henne hela julbonusen och som påminde Gemma om Pascalines dräkt, flirtade med den manliga huvudrollsinnehavaren. Det var hans lätt förfallna utseende och vampyrlika leende som hade gett honom rollen.

Gemma bar en städad Chanel-dräkt i benvitt med marinblå bårder. Hon tittade igenom sina anteckningar och försökte stävja sin irritation. Så småningom kom Sy och Zippo in med sin sekreterare i släptåg, ryckte på axlarna åt Gemma och intog sina sedvanliga platser vid bordets kortände, där de lågmält började överlägga med varandra. Gemma hade nästan bestämt sig för att gå fram till dem och höra vad som pågick när dörren öppnades.

Racine seglade in i rummet med en svans av bleka, androgyna medhjälpare efter sig, alla klädda i svart.

Plötsligt verkade själva luften laddas av hans närvaro. Gemma såg förbryllad hur Sy flög upp från sin stol för att hälsa på honom, och den vanligtvis så flegmatiska Zippo reste sig hastigt och borstade inbillat damm från kavajen. Till och med personalen, som var så blaserad, världstrött och omöjlig att imponera på, rätade på sig i stolarna. Halvrökta cigarretter försvann som genom ett trollslag och konjaksflaskan doldes bakom ett blädderblock. Sys sekreterare, som alltid hade påmint Gemma om ett gammalt spöke, rodnade faktiskt och plockade med broschen vid halslinningen, ett säkert tecken på hart när olidlig upphetsning.

Som det passade sig började Sy med att presentera Racine för Zippo och sedan för Gemma. Den första blicken ur hans egendomliga, blekgrå ögon, med samma färg som gamla stenar under rinnande vatten, fick henne att resa ragg när den gled över hennes kropp och sedan avfärdande vek undan. Den första beröringen av hans hand, kort och opersonlig, sände en rysning längs hennes ryggrad.

Antagonismen mellan dem var så häftig, så het och skakande att Gemma kippade efter andan. Nackhåret stramade, och det kändes som om varenda nerv var på helspänn. Hon kände bröstvårtorna styvna och blodet bulta i öronen.

Aldrig hade hon erfarit en så stark fysisk reaktion inför en man. Musklerna i maggropen knöt sig, och hjärtat skenade.

Alldeles torr i munnen svalde hon och drog åt sig handen. Omtumlad lyfte hon blicken till hans, men han hade redan vänt sig bort. Oförklarligt knäsvag sjönk hon ner på sin stol och såg på medan Sy och Zippo avslutade presentationerna, inställsamma som hundvalpar.

Om de haft svansar, tänkte Gemma rasande, skulle de ha viftat på dem. Till och med Jane skälvde som en löpande tik.

Alexei Racine såg ut som en kvarleva från en *film noir*, avgjorde Gemma ilsket. Han var klädd i snäva, svarta byxor, en svart, höghalsad tröja och en böljande svart cape. Han hade höknäsa och blek hy. Lite vit underlagskräm och ett par huggtänder bara, så skulle han utan vidare kunna spela den demoniske älskaren i "Vampyrens berättelser".

Den tanken drog hennes blick till hans mun. Överläppen var smal och grym, underläppen fyllig och sensuell. Hon fick en plötslig vision av hans mun mot hennes och måste undertrycka en rysning av avsmak.

Men hans röst var vacker, en djup och oväntat mjuk baryton med en lätt, oidentifierbar brytning. Av någon anledning retade det upp henne ännu mer.

Hans entourage tycktes ha smält in i bakgrunden. Gemma såg sig omkring och upptäckte att de stod tysta ett stycke bakom Sys stol vid bortre änden av bordet. Men en man hade satt sig på fönsterbrädet och lugnt tänt en cigarrett. Han verkade vagt bekant, och hon försökte just placera honom när hennes blickar drogs till Racine igen.

Han strosade tillbaka till bordets ände och slängde capen till en av sina följeslagare, som fångade upp den och vördnadsfullt slätade ut den. Ursinnig såg Gemma att han satte sig i Sys stol och väntade med bistert nöje på Sys explosion.

Men den uteblev. Till hennes förvåning gick Sy i stället fogligt till sidan av bordet, släpande Zippo och sekreteraren med sig. I förbifarten stötte han till förstefotografen och var nära att tappa sin tupé. Hans ivriga gestikulerande verkade tyda på välvillig entusiasm.

81

Oberört lutade sig Racine bakåt i stolen, satte finger-topparna mot varandra, tystade församlingen med en blick och började tala.

Förstummad av hans arrogans lyssnade Gemma bara med ett halvt öra. Hon hade väntat sig den van-liga överdrivna blandningen av lögner och löften, men allteftersom betydelsen i det han sa nådde henne tog hon fyr igen.

Med ett likgiltigt finger bläddrade han i hennes de-taljerade prospekt, nedvärderade hennes omsorgsfullt planerade tidsschema och höjde ironiskt på ögon-brynen åt budgeten. Sedan krökte han sarkastiskt på läpparna åt manuset och förslagen på filmplatser. Han besvärade sig inte med att linda in kritiken; han hud-flängde rakt på sak varenda aspekt av hennes projekt med sin obevekligt mästrande och välklingande röst.

"Tredje akten", sa han och slängde ifrån sig ma-nuset, "kan kanske fungera. Det är tänkbart. Den kunde rent av betraktas som uppfinningsrik. Nyska-pande. Till och med vågad. I en spagettivästern. Inte i en gotisk skräckfilm." Han ignorerade de nervösa skratten och fortsatte: "Dräkterna är förstås perfek-ta."

Alla tycktes slappna av en aning. Racine gjorde ett uppehåll och hällde upp ett glas vatten åt sig.

"Ja. Det vita nattlinnet. Den edvardianska smo-kingen med svart sammetsmantel. Perfekt. Perfekt i en gotisk parodi. Perfekt i en komisk sketch på BBC 2. Inte i den här filmen."

Tvärs över bordet tittade Gemma på Maggie, gar-derobschefen, en veteran med trettio års dräktarbete för teater, TV och film bakom sig. Hon bleknade som om hon var nära att svimma. Då tappade Gemma slut-ligen humöret och öppnade munnen för att avbryta Racines svidande tirader. Men hon distraherades av

Sy, som desperat försökte fånga hennes blick. Hans buskiga ögonbryn åkte febrilt fram och åter, som två larver som försökte para sig mitt i hans panna, en signal som han inbillade sig var subtil. Men hon förstod vad den betydde: håll mun.

Motvilligt bet Gemma ihop tänderna. Ett enda stickord till, en enda sarkastisk pik, så tänkte hon minsann släppa loss och strunta i följderna. Som om det inte räckte med att Racine demoraliserade personalen, inkräktade på hennes område och levde upp till sitt rykte som en fullkomlig skitstövel – han tycktes njuta av det också. Hans mun var lätt krökt i ett uttryck som antydde ett leende ...

Det blev droppen för Gemma. Men just när hon stålsatte sig för att undvika Sys ögon, beslöt Racine att sätta punkt för demoleringen.

"Alltså en riktig utmaning för oss alla. Mina assistenter kommer utan tvivel att visa sig ovärderliga." Han viftade vårdslöst mot den bleka, androgyna gruppen bakom sig. "Och jag måste presentera er för Nicholas Frere, som kommer att vara med oss några dagar."

Gemmas mod sjönk när hon kände igen namnet på Englands mest kända – eller ökända – filmkritiker. Den slanke mannen som hade suttit uppflugen på fönsterbrädet gled ner på golvet och nickade åt de församlade. Nicholas Frere.

Nu kunde hon inte gärna protestera, inte inför Freres vakande ögon. Minsta antydan om osämja skulle hamna i hans nästa spalt, och det sista "Vampyrens berättelser" behövde i det här läget var negativ publicitet. Det gjorde investerarna nervösa och oroliga och fick dem ofta att dra tillbaka de välbehövliga finanser som studion livnärde sig på, som ... som ... vampyrer.

Men hon måste säga någonting. Något som skulle återupprätta hennes auktoritet. Något som skulle lugna personalen. Något som skulle låta Racine veta att vad på henne ankom kunde han slänga sig i väggen.

Långsamt reste hon sig, och för att hon inte kom på ett dugg att säga började hon applådera. Under ett ögonblick hördes inte ett ljud i rummet, men när hon lät blicken svepa över personalen, en förintande blå blick som de var väl förtrogna med, föll de andra in undan för undan, och snart klappade alla i händerna. Gemma kastade en blick på Racine, vars ansiktsuttryck var otydbart, och sedan tystade hon applåderna med en gest.

"Mina damer och herrar", började hon. "Och Sy och Zippo, förstås." Tillägget lockade fram några skratt. "Ni är säkert lika häpna och förtjusta som jag över att vi ska få arbeta med en regissör vars sinne för humor endast överträffas av hans skådespelartalang."

Nu flödade inspirationen till. Ett förbryllat mummel hördes när Gemma gjorde en konstpaus och sedan vände sig direkt till Racine. "Jag är faktiskt frestad att erbjuda er en roll i filmen. Men som ni så riktigt påpekade är det här ingen komedi."

Hon skrattade, ett varmt, spontant skratt som fick personalen att stämma in utan att begripa varför.

"Som vi alla vet är den här branschen grym, hänsynslös, full av skvaller och illvilja. Till och med vår regissör, Alexei Racine, har besudlats av elaka rykten. Det påstås att han är omöjlig att samarbeta med." Helt kort vände hon sig mot Racine och lät för en sekund sin vrede blixtra ur ögonen. "Att han är en okänslig tyrann. Att han är en spydig och sadistisk svinpäls." Hon gav honom ett varmt leende och hoppades att han kunde se hatet i hennes ögon. Sedan såg hon sig om runt bordet.

"Vi har just sett en lysande parodi på hans rykte, levererad av honom själv, en imitation utförd med sådant djup, sådan övertygelse att jag måste medge att jag också lät mig luras först."

Med bultande hjärta vände hon sig till Racine igen.

"Jag ber att få hälsa er välkommen till 'Vampyrberättelser', och jag vet att jag talar för oss alla när jag säger att vi verkligen ser fram emot att få arbeta med er. Nu väntar mat, vin och champagne i studio tre. Vi måste ha ett invigningsparty så vi kan skåla för vår nye regissör!"

En spontan applådåska hälsade hennes ord, utan tvivel framkallad av utsikten till gratis sprit. Alla drog sig ivrigt mot dörren. Gemma log och skrattade och hjälpte till att fösa ut dem ur rummet, och hon hejdade sig bara för att väsa några ord i örat på Jane. Hon väntade tills hon blev ensam innan hon sjönk ihop på närmaste stol och lyfte telefonluren.

"Restaurangen? Jag behöver en buffé med vin, champagne och sprit i studio tre för trettio personer om fem minuter. Nej – mat för trettio, sprit för sextio. Jag vill att de ska bli fulla som ägg. Jag behöver ett party, nu på momangen! Kom inte och säg att det inte går! Sätt i gång bara! Börja med spriten och champagnen. Maten kan vänta."

Hon slängde på luren och drog fingrarna genom håret så att den eleganta knuten lossnade. Blicken föll på ett paket cigarretter som någon hade glömt på bordet. Hon brukade inte röka, men nu tog hon med darrande fingrar en cigarrett och började ursinnigt suga på den.

Hon var så skakad, så omtöcknad och arg att hon knappt reagerade när en tändare klickade till bredvid henne.

"Det går bättre om man tänder den först", sa en röst som måste höra ihop med de smala bruna fingrarna som höll fram den eleganta tändaren i svart och guld.

Hon såg lågan möta cigarrettspetsen och drog in. Den stickande röken fick henne att hosta. Ögon och hals sved när hon andades in igen, och fortfarande hostande vände hon sig på stolen för att se på honom.

"Imponerande", anmärkte Nicholas Frere torrt och tände sin egen cigarrett.

Gemma blåste ut ett rökmoln och betraktade honom genom det. Han var av medellängd, smal men välbyggd, och hade ett trevligt men anonymt ansikte som kunde smälta in i vilken omgivning som helst, vilket antagligen hade varit honom till stor nytta i hans värv som självutnämnd filmbödel. Hans gröna ögon var vakna.

"Jag är ingen rökare", svarade hon leende och låtsades avsiktligt tro att hans kommentar syftat på hennes hostattack.

"Nej, men glöden verkar det inte vara något fel på", svarade Frere. "Det var en upplevelse att se dig och Alexei mäta krafterna mot varandra för första gången."

"Var han inte underbar?" sa Gemma entusiastiskt medan hon tänkte febrilt. "Så subtil, en så diabolisk humor, ett så originellt sätt att bryta isen med en ny personal, och så övertygande ..."

"Alexei och jag är gamla bekanta", avbröt han lugnt och släppte sin cigarrett i det halvfyllda vattenglaset som Racine hade lämnat.

"Åh", sa Gemma och blev alldeles tom i huvudet. Den beundrande, sardoniska och menande blicken i hans ögon lät henne förstå att han inte alls hade låtit lura sig av hennes bluff. Inte mer än personalen skulle göra, såvida hon inte lyckades supa dem fulla och skapa en atmosfär av falskt kamratskap, styra Racine därifrån och få Sy och Zippo att förklara vad i helsike det här egentligen handlade om ...

"Du gjorde bara en miss", fortsatte Frere.

"Jaså? Och vad var det?" frågade Gemma älskvärt.

"Du sa fel namn på filmen. Den heter väl 'Vampyrens berättelser'?"

"Fan också!" utbrast hon och körde förtvivlat handen genom håret. "Den där förbannade Sy!"

"Strunt i det", sa han lugnande. "Jag tror inte att någon tänkte på det. En cigarrett till?"

"Nej tack, mr Frere. Nu måste jag nog ..."

"Nicholas", rättade han med ett leende som verkade smått hoppfullt. "Och jag får väl kalla dig Gemma?"

"Naturligtvis", sa hon med tankarna på annat håll. Hon måste till studion och leta reda på Sy och Zippo ... men först var hon tvungen att avväpna Frere.

"Det är ett vackert namn", sa han med sina varma, gröna ögon fästa på henne. "Mycket vackert." Outtalade låg orden att han fann också henne vacker.

"Tack. Jag ..."

"Och du handskades med Alexei på ett sätt som verkligen anstår ditt namn. Det var helt enkelt lysande, bländande som en ädelsten."

"Känner du honom väl?" frågade Gemma med ett ögonkast på klockan. "Varför följde du med honom hit i dag?"

"Det är en av de där trista 'en dag i ditt liv'-historierna", svarade Frere nonchalant och nämnde en av de mest framstående söndagstidningarna. "Jag har sysslat lite med en biografi, auktoriserad eller ej. Jag har känt Alexei länge. Men vi kanske skulle gå till studion och se till att personalen dränker allt sitt vett i sprit? Det var väl det som var din avsikt?"

"Just det", sa Gemma och rättade snabbt och skickligt till håruppsättningen. "Du har rätt, vi borde nog gå dit."

"Och när det här ... hm, välkomstpartyt är över kanske jag får bjuda dig på en drink?"

Gemma tvekade och tittade närmare på honom. Han var något så farligt som en kritiker, och han påstod sig vara god vän med Racine, vilket måste betyda att han inte var riktigt klok. Men en användbar källa kunde han bli, och Gemma var på ett våghalsigt och trotsigt humör, fortfarande hög efter adrenalinkicken som det första mötet med Racine hade gett henne.

"Bara om den är riktigt stor", svarade hon.

Det improviserade partyt var redan i full gång när Gemma och Nicholas kom till studio tre. Löftet om gratis sprit var lika frestande för filmteamet som vittringen av färskt blod för ett stim hajar, och om det hade funnits någon inledande stelhet hade den snabbt upplösts i ett hav av gin och tonic.

Nicholas smälte snabbt in i mängden så att Gemma blev fri att cirkulera på egen hand. Hon nappade åt sig ett glas Perrier, klistrade fast ett leende i ansiktet och arbetade sig systematiskt igenom rummet, prövade atmosfären och sökte efter Sy och Zippo, som dock tycktes ha gått upp i rök. Inte heller syntes Racine eller hans assistenter till.

Gemma kände sig frustrerad men såg till att Jane höll ett öga på förfriskningarna, och utbytte några ord med garderobschefen, Maggie, som fortfarande var blek och hällde i sig gingroggar som om hon aldrig hade hört talas om baksmälla. Frånsett Maggie verkade alla vara väl till mods. Några muttrade om en regissör från helvetet, men dem tystade Gemma med ett ilsket ögonkast. Hennes bluff verkade ha fungerat, åtminstone för tillfället.

Hon hade gett upp hoppet om Sy och Zippo och började just koppla av en aning när hon vände sig om och fann sig stå öga mot öga med Racine.

"Vi har en del att diskutera", sa han lågt.

Hans röst sände en rysning längs ryggraden som fick pulsen att öka och gjorde henne torr i munnen.

"Det har vi sannerligen", sa hon svalt och såg in i hans grå rovdjursögon. Hela hennes kropp spände sig inför kraften i den där blicken. Plötsligt kände hon sig liten och värnlös, som ett litet pälsdjur som fångats i ljuskäglan från ett par billyktor eller hypnotiserats av en kobras stirrande.

Tänk på Pascaline, sa hon vilt till sig själv. Makt i tanken, svart läder i fantasin. Se på honom och tänk på att du har gjort och sett saker som han aldrig har drömt om.

Hans ögon var nästan färglösa. De verkade ur-gamla, som om de hade sett allt och bara kände förakt. Ögon som var gamla som tiden och kallare än is.

"På mitt hotell då, i morgon klockan tolv. Och en sak ska du hålla i minnet, Gemma de la Mare."

"Jaså?" Hennes röst var lugn trots att hjärtat slog oregelbundet.

"Jag har inte minsta sinne för humor."

Det var en lättnad att fly när partyt äntligen började mattas av och tryggt kunde överlämnas åt Jane, en lättnad att vänta utanför huset, borta från Alexei Ra-cines hotfulla, betvingande, hypnotiska, blekgrå ögon, till och med en lättnad att huttra i kylan medan Nicho-las Frere vinkade till sig en taxi. Och en stor lättnad att slutligen få koppla av i baren på hans hotell och läppja på en iskall martini.

Till Gemmas förvåning nämnde han varken "Vampyrens berättelser" eller Racine, tycktes avsiktligt undvika att ta upp något som hade med filmvärlden att göra. I bakhuvudet var Gemma medveten om att hon borde vara på sin vakt, pumpa honom på information och göra honom vänligt inställd till filmen och studion, men hon var så lättad över att arbetsdagen var slut och att hon hade kommit i väg från Racine att hon sköt undan tanken.

Nicholas var en underhållande samtalspartner, kvick men inte illvillig, välunderrättad men inte fördomsfull, med ett brett intressefält och utsökt smak. Han roade henne med sina åsikter om georgiansk arkitektur, om en konsert han nyligen bevistat och en bestseller han just hade läst.

Och han var uppmärksam utan att vara nedlåtande, förvissade sig om att hennes martini var bra och att hon inte satt i draget från dörren. Efter den påfrestande dagen var det som att koppla av i ett hett bad, som balsam på sår, och hon var tacksam för hans sällskap.

Det föll sig naturligt att fortsätta samtalet över en middag, och det kändes helt rätt att sitta bredvid honom på en sammetssoffa lår mot lår medan de diskuterade menyn.

Och medan de åt visade han på tusen subtila sätt att han ville ha henne. Hans ögon var varma och öppet beundrande, den flyktiga beröringen av hans hand för intim för att kunna vara en slump, trycket av hans lår mot hennes mycket tydligt – och mycket välkommet.

De drack en frisk ung Chardonnay till de färska ostronen, en yppig Barolo till fläskfilén och en doftande Barsac till marängen och de färska jordgubbarna. I slutet av måltiden var Gemma skönt avspänd, som en katt som har blivit smekt på exakt rätt ställen. Lojt tackade hon ja till en konjak.

"Inte mycket att välja på", anmärkte Nicholas och synade kritiskt vinlistan. "Jag har en mycket bättre flaska uppe hos mig."

Deras blickar möttes. Det var mer än en inbjudan till en sängfösare, det stod klart av värmen i hans ögon. Han smålog, ett leende som var både blygt och odygdigt, en tydlig invit som samtidigt lovade att han inte skulle ta illa upp om hon avböjde.

Men det var hans ögon som fick henne att bestämma sig. Det verkade plötsligt vara alltför länge sedan hon hade sett en sådan oförställd åtrå i en mans blick. Hon sköt undan minnet av sin ansiktslöse, anonyme drömälskare och log mot Nicholas.

"Det vore synd att dricka dålig konjak efter ett så underbart vin", sa hon instämmande.

Han rörde lätt vid hennes hand och sa till om notan.

Hans sätt att älska var lika lent och subtilt som konjaken de smuttade på uppe i hans rum, lika lättsamt som leendet som lekte på hans läppar.

Medan hon satt bredvid honom kysste han henne försiktigt, vidrörde lätt hennes läppar med sina. Ingen borrande, prövande tunga, inga tänder, bara det varma, varsamma trycket av hans mun som smakade på hennes, lärde känna henne, gäckades med henne.

Han löste upp hennes hår och drog med fingrarna genom det silkeslena, silverblonda svallet tills det föll i en oredig kaskad över ryggen. Hans ögon var halvslutna och hans mun hade hårdnat av lidelse, men hans händer var varliga när de strök håret över axlarna på henne och delade det i två länkar över hennes bröst.

Och hans kyssar var fortfarande lätta och gäckande, ljuva och frestande. De följde konturerna av hennes mun, ögonbrynens båge, käklinjens fasthet. Lekfulla läppar nafsade i hennes öron, dansade över hennes hals, flirtade med hennes mun, tills hon slutligen lade handen om hans nacke och tryckte sin mun hårdare mot hans.

Deras tungor möttes och brottades. Ännu retades han med henne, slickade med tungspetsen över hennes tänder, gled in mellan tandraderna och drog sig tillbaka. Hans kyssar hade gjort henne varm, slapp och lättjefull, fyllt henne med en ljuv hetta som jagat all nervspänning på flykten.

Hans händer gick till dräktjackans stora guldknappar och knäppte fingerfärdigt upp dem. Han vek undan det vita yllet och avslöjade det mörkblå linnet av siden hon hade under. Han gjorde inget försök att dra av henne jackan, och när hon vred sig under honom och ville åla sig ur den höll han henne tillbaka med en fast kyss.

Förvånad öppnade hon ögonen, men han flyttade munnen till hennes ögonlock, rörde dem lätt med tungspetsen och slöt dem igen, och hon förstod att han ville att hon bara skulle ligga stilla och blunda.

Nu var hans händer på hennes bröst, strök dem genom linnet och gjorde en kringgående rörelse runt bröstvårtorna som hade styvnat. Med förfarna fingrar smekte han bröstens mjuka undersida som svällde under hans beröring, långa, bruna, skickliga fingrar som inte ens snuddade vid de resta bröstvårtorna.

De var nästan smärtsamt uppsvällda, hårda som stenar av längtan efter hans muns mjuka beröring. Hon kände sina nedre läppar svälla i gensvar och värmen tillta mellan låren som pressades alltför tätt ihop av hennes snäva kjol. Han måste ha känt hennes rörelse, anat spänningen i låren, för han lade en hejdande hand på hennes ben.

Äntligen flyttade han munnen till hennes bröst, sög på dem genom sidenet, bet helt lätt, rullade bröstvårtorna mellan tänderna, fick dem att hårdna ytterligare, och hon stönade högt.

Han var lika skicklig med munnen som med fingrarna, flyttade sig från det ena bröstet till det andra, lämnade alltid en bröstvårta innan den var fullt tillfredsställd och tvingade henne att ständigt längta efter mer.

Först när han kände henne gnida låren mot varandra och otåligt kröka höfterna förde han in handen under hennes kjol, sakta och försiktigt, med en paus vid det lena knävecket medan han sög intensivare på hennes bröst.

Plötsligt drog han in de smärtsamt uppsvällda spetsarna i sin heta mun, mjölkade dem med en desperat glöd som tycktes dra allt blod i hennes kropp till bröstvårtorna. Linnets sidenbarriär, nu genomvåt av hans mun och tunga, smetade sig intill brösten och tillförde en lätt och delikat fiktion under hans glupande tunga, förstärkte munnens hungriga sugande.

Hon hade börjat ge sig hän åt hans mun, nästan förlorat sig i de varma, våta sugningarna genom det blöta sidenet när hon kände hans hand mellan låren, trevande uppåt med fingrar som strök hennes sköte genom strumpbyxorna och sidentrosorna.

Hans mun var het och erfaren mot hennes bröst, hans fingrar varsamma, nästan alltför varsamma, när han letade upp hennes klitoris och smekte den genom kläderna. Hon kände blygdläpparna svälla av blod, kände en fuktig hetta pulsera i grenen. Kontrasten mellan hans glupska mun och ömsinta fingrar, mellan de nafsande tänderna mot bröstvårtorna och den varsamma handen som kupades om hennes venusberg, var ljuvligt upphetsande, febrilt stimulerande, och hon upptäckte snart att hon i stället ville känna hans hungriga läppar mot sitt kön och de varsamma fingrarna mot sina bröst.

Så flyttade han sig undan och drog snabbt av sig kläderna. Hon slog upp ögonen och såg på honom i sänglampornas dämpade sken. Hans kropp var smal och smärt, bringan nästan hårlös. Det var bara en lång, smal, fjunig strimma som löpte över hans mage ner mot det täta könshåret. Hans erigerade penis pekade snett uppåt. För en sekund såg hon jägarristningen i forngraven vila över Nicholas eleganta kropp, det enorma, uppresta spjutet, det tomma, trekantiga ansiktet – och sedan försvann bilden när han makade ner henne på golvet.

Han sköt in en kudde under huvudet på henne och rörde lätt vid hennes ögonlock med tungspetsen. Lydigt slöt hon ögonen, beredd att sväva bort under hans läppar, under hans händer som gled över hennes kropp och drog av henne skorna, kjolen och strumpbyxorna. Han fjättrade hennes armar genom att lämna jackan halvvägs nerför axlarna, och så särade han hennes ben.

En stund satt han bara och tittade på henne, lät blicken njuta av de långa, nakna benen, den smala, mörkblå sidenremsan som täckte hennes venusberg, linnet som klibbade tätt intill brösten och bröstvårtorna som avtecknade sig genom tyget. Sedan böjde han sig över hennes kropp.

Han låg på knä mellan hennes ben. Läpparna strök mot sidenet som dolde hennes kön, bara en snudd mot tyget, ett subtilt, lekfullt löfte. Han lekte med henne, bökade med näsan, puffade mot hennes styvnade klitoris, andades in hennes doft, medan händerna strök

94

över benen, beundrade lårens insidor, lekte med det mjuka, känsliga skinnet, retade henne genom att fingra på resåren i trosorna och sedan dra undan handen.

Han var en raffinerad älskare, nästan nyckfull, avbröt det flyhänta utforskandet av hennes kön för att kyssa höftens rundning, blåsa mot hennes upphettade, sidentäckta kulle, nafsa mot insidan av låren, fingra på vadmusklerna. Och när han strök det känsliga fotvalvet kittlade det så att hon skruvade på sig och fnissade.

Till slut manade han henne att resa sig, slickade upp hennes ögonlock som hon lydigt hade hållit hopknipna, skalade ner jackan från hennes armar och linnet från hennes överkropp. När han förde henne till sängen var hon lika varm och villig och lekfull som han, utforskade hans kropp med händer och mun, gav för en kort stund vika för impulsen att suga in hans penis långt bak i munnen, hårt och djupt, och sedan kittla hans bröstvårtor med håret tills han skrattade och drog henne till sig för att ge henne en kyss.

Det hela var ytterligt ljuvligt, en njutningens lekstuga, en köttslig orgie uppblandad med skratt, en erotisk bergochdalbanetur av kyska kyssar och djupt stötande fingrar, av vidöppna munnar och blyga, försiktiga fingrar. Det var skicklig älskog av en man som gjorde sex till ett möte mellan sinnen likaväl som mellan kroppar. Han slickade linjerna i hennes handflator och spekulerade över hennes livslinje medan han körde in tre fingrar djupt i henne.

"Får jag titta på din kärlekslinje också", sa han och synade noga hennes handflata medan hans tumme fann hennes klitoris.

"Jag tror du har hittat den", sa Gemma andlöst, halvkvävd av skratt och av hettan som böljade genom henne. Hans fingrar rörde sig snabbt inuti henne medan tummen långsamt och sensuellt smekte hennes klitoris.

"Nej, den är nog lite längre åt höger ... nej, vänster", svarade han och drog med tummen runt det hala, skyddande hullet.

"Nej vänta ... ja", mumlade hon. Skrattet dog bort i förväntan när han hittade rätt igen. Hon kände klimax närma sig, väntade på nästa långsamma smekning och på den mjuka, explosiva befrielsen.

"Är du säker på det? Det är viktigt att få det här alldeles rätt."

"Ja, ja, jag är säker, det är precis rätt!"

Orgasmen skummade och bubblade genom henne, pärlande som den finaste champagne, som värmande solsken, som ljuvt skratt. Det var som att nå en bergsplatå efter en lång, mödosam klättring, en exalterad, berusande lättnad.

När hennes kropp krökte sig i njutning trängde han in i henne och drog ut på de pulserande vågorna med sina välavvägda stötar, och hon hörde sig själv skratta.

Senare duschade de tillsammans, lekfulla som sälar under kaskaderna av vatten. De torkade varandra och återvände till sängen. Hennes sista tanke innan hon somnade i hans famn var hur otroligt, häpnadsväckande fint det hade varit.

När hon vaknade låg hon hopkrupen med ryggen mot honom som en sked i en annan. Hon sträckte lättjefullt på sig och fick syn på klockan på sängbordet. Tio. Tack och lov för lördagar, tänkte hon slött. Hon kände sig tillfredsställd, uppfylld och mycket hungrig – och då mindes hon mötet med Racine klockan tolv.

Hennes första impuls var att kasta sig in i duschen och sedan ta en taxi hem till sig, men redan när hon satte ner fötterna på golvet hade hon ändrat sig.

Hon duschade långsamt och tog sig tid att uppskatta den ljuva, ömma värken mellan låren, och när hon långt om länge kom ut ur badrummet satt Nicholas vid en påkostad rumsservicefrukost för två.

De delade på morgontidningen och småpratade medan de drack kaffe och åt croissanter, bacon och ägg, korv och frukt. Gemma försökte komma på ett sätt att ta upp Racine. "Jaså, du är en gammal vän till Alexei?" vore en bra början, men det var inte lätt att få in frågan på ett naturligt sätt så länge Nicholas muttrade om aktiemarknaden och den senaste flygplanskraschen och högläste utdrag ur en bokrecension – för att slutligen slänga ifrån sig tidningen och kyssa henne.

"Men Nicholas, jag måste faktiskt ...", började hon mellan kyssarna. "Det här är härligt, men jag har ett möte klockan tolv. Med Alexei Racine."

Han släppte henne och tittade på klockan. "Då är det bäst du skyndar dig. Klockan är redan elva."

"Det gör nog inget om jag kommer lite för sent", sa Gemma nonchalant och sträckte sig efter sina kläder. "Punktlighet verkar inte vara hans starka sida. Hurdan är han egentligen? Du sa ju att ni två är gamla vänner."

Nicholas gröna ögon blev vaksamma. "Har jag verkligen sagt det?"

"Ja, det har du. Du sa att du höll på med någon sorts biografi om honom", påminde Gemma medan hon drog på sig strumpbyxorna och knäppte kjolen.

"Ett fascinerande ämne", svarade han undvikande. "Ett *enfant terrible* som blev en arg ung man, och nu – vem vet? Han är nästan fyrtio. *Jag* är nyfiken på om han har något kvar att säga, och hur han i så fall kommer att säga det."

"Ja, varför just 'Vampyrens berättelser'?" undrade Gemma. "Det är väl inte alls hans typ av film. Och varför ..."

"Gemma", sa han allvarsamt. "Jag arbetar aldrig på helgerna. Jag blandar inte affärer och nöjen. Ring mig när du är klar, så bjuder jag på middag. Men jag vill inte prata om Alexei. Förstår du? Det tar upp för mycket utrymme, för mycket tid. Jag vill hellre ägna mig åt dig." Sedan kysste han henne igen.

"Han kan inte ta emot än", upplyste den långa, smala, bleka medhjälparen i svart läder som öppnade dörren till Racines hotellsvit.

"Det kan han säkert", sa Gemma kyligt.

Vid det här laget var hon avsiktligt en hel timme försenad, en beräknad hämnd för hans arrogans dagen innan. Hon hade funnit ett visst nöje i att söla och byta kläder flera gånger innan hon bestämt sig för en arktiskt grå, stickad klänning som gick i ton med hennes humör, och hon hade skadeglatt föreställt sig Racines växande irritation.

"Nej, han är inte färdig", envisades medhjälparen och nickade mot den stängda sovrumsdörren.

Gemma betraktade tankfullt den underliga uppenbarelsen. Den hade stora ögon som var dramatiskt svartsminkade, finskurna anletsdrag, lång kroknäsa, axellångt svart hår och en tunn, mild röst. Hon kunde inte avgöra om det var en man eller en kvinna.

"Var snäll och säg åt honom att jag är här."

Varelsens ögon blev ännu större.

"Oh nej, jag kan inte störa honom nu."

"Då gör jag det själv", fräste Gemma.

Hon stegade tvärs över rummet innan den hann hejda henne och ryckte upp sovrumsdörren.

Racine steg just upp ur sängen. Han var spritt naken och gjorde inget försök att skyla sig. Gemmas kinder brände när han återgäldade hennes stirrande blick med att frågande lyfta på ena ögonbrynet.

Hon kunde inte ta ögonen från honom. Hans kropp var helt enkelt vacker, skön som en mörk ängel, en Lucifer som frossade i sitt fall. Han var kraftfullt, primitivt maskulin, smidig och muskulös med bröstet prytt av en tjock matta av svart hår som blev ännu tjockare och rufsigare neråt grenen. Ofrivilligt drogs hennes blick till hans penis, som glänste svullen som om han nyss hade haft samlag. Den var stor och lika perfekt formad som resten av kroppen, själva sinnebilden av maskulin virilitet. Ändå fanns det något elegant hos honom, något rent och kallt och vitalt och nedärvt.

Hon hade tyckt att Nicholas var elegant. Men i jämförelse med den här mannen var Nicholas en blek imitation, en torftig skugga.

"Gemma de la Mare", sa Racine med den fruktansvärt vackra röst som hon hade kommit att avsky. "Jag väntade dig allra tidigast klockan två. Tre, om du haft tillstymmelse till temperament."

Hon knep ihop munnen. Tydligen hade hon begått ett misstag i denna dans av kalkylerade förolämpningar. Äntligen slet hon blicken från hans kropp och såg en oformlig hög under lakanen i sängen.

"Åh, kommer jag för tidigt?" utbrast hon med spelat beklagande. "Hoppas att jag inte störde." Giftet i hennes röst förvånade henne själv.

"Störde?" upprepade han och tog några steg emot henne.

Hon upptäckte att hon backade, skyggade för hans mörka, betvingande, sensuella utstrålning, ryggade tillbaka i en fascinerad avsmak som var så mäktig att den gränsade till upphetsning. Han skulle röra vid henne, det kände hon på sig. Det kröp redan i skinnet på henne när han i stället, utan brådska, sträckte sig efter en svart sidenrock som låg draperad över sängens fotända. Hon kände att hon rodnade.

"Nej", sa han tankfullt och knöt skärpet om sig. "Du stör mig inte alls. Faktiskt en besvikelse. Jag hade väntat mig mer av dig med tanke på vårt första möte."

"Jag ber tusen gånger om ursäkt ...", började hon och lät sarkasmen drypa om varenda stavelse.

"Tråka inte ut mig, Gemma de la Mare", avbröt han. "Dina banala, hycklande, konventionella inledningar kan jag nätt och jämnt tolerera, men tråka inte ut mig." Hans tonfall var svalt, nästan affekterat släpigt, men hans ögon utstrålade en intensiv, genomborrande hetta som tycktes smälta hennes benstomme.

"Du är olidlig", spottade hon och slängde all spelad hövlighet överbord. "Olidlig! En arrogant, egocentrisk, odräglig skitstövel, och jag ska få dig utsparkad från filmen fortare än ..."

"Daahhling", sa han i en perfekt imitation av Noël Coward. "Det betvivlar jag starkt. Vi kanske skulle diskutera det här närmare under mindre, hm, gynnsamma omständigheter." Han nickade mot den till synes sovande gestalten i sängen, tog Gemma om armbågen och förde henne mot dörren.

Hon ryste då han rörde vid henne. Det var som en kyss av en kobra, en smekning av ett rakblad, en isande hetta som fick ryggraden av stelna och blodet att smälta. Som i en dimma gick hon ut i vardagsrummet, såg den androgyna medhjälparen svansa runt honom, erbjuda kaffe, ordna kuddar bakom hans rygg och stöka omkring helt i onödan tills en kort nick från Racine skickade i väg honom. Henne? Den?

"Jag har redan gett en sammanfattning av problemen", sa Racine och läppjade på en kopp svart kaffe. "Jag antar att du är här för att erbjuda lösningar. Låt höra."

"Jag tror inte du fullt förstår din position i Horrorstudion", sa Gemma bitskt. "Din roll ..."

"Det var verkligen tråkigt", insköt han med en nickning som om han höll med henne. "Tydligen har du inte läst alla papper ännu." Han knäppte med fingrarna, och medhjälparen trollade fram en mapp från ingenstans. Racine bläddrade igenom den, tog fram ett tjockt dokument proppat med guldsigill och tungläst juridisk jargong och slängde det tvärs över bordet.

Gemma försökte läsa och lyssna samtidigt, men det var omöjligt att begripa alla ehuru och enär som tycktes indikera att Alexei Racine, hur ofattbart det än var, nu var en stor aktieägare i Horror Inc. Faktiskt den störste!

Orden dansade för ögonen på henne medan hon lyssnade på den egendomligt smekande knivseggen i hans röst.

"Budgeten, ja ... Ska vi säga att pengar inte är något hinder? Det är mitt ansvar, förstås. Manuset, dräkterna, de miserabla inspelningsplatserna – det är dina bekymmer."

Om hon hade tittat upp skulle hon ha sett att han iakttog henne oavvänt, men hon försökte fokusera på papperet framför sig trots att det svindlade för henne.

"Min vampyrfilm kommer att bli en klassiker och demonälskaren en roll att eftersträva, liksom Hamlet och Lear. Ett kraftprov, en symbol för vår tid, för kärlek och död och girighet." Hans röst var hypnotisk, betvingande. "Med en poäng, förstås. Det må vara sant att man dödar det man älskar. Men det är långt mer subtilt att bara lemlästa det en aning, såra det lite grann. Oändligt mycket mer subtilt. Håller du inte med, Gemma de la Mare? Tänk på något vampyriskt, något utomvärldsligt, en plats för lusta. För blodtörst. Använd din fantasi, fritt och vilt."

Fritt. Vilt. Vampyriskt. Utomvärldsligt. Blodtörst.

"Jag vet ett ställe i Bretagne", började hon utan att tänka sig för, som en reflexmässig respons på den satiriska, förföriska rösten.

"Bretagne?" sa han gäckande. "Mycket passande omgivning för en transsylvanisk vampyr. Synnerligen fantasifullt!"

"I närheten av Carnac", sa hon med större kraft. "Där finns ett gammalt kärntorn, till och med en gravplats. Ett ställe ... ett ställe där ..."

"Ja?"

Där jag kände blodtörsten. Men det kunde hon inte säga. "Och vid Chateau Marais finns det en ..."

Racine nickade. "Jag råkar vara ytligt bekant med Leo Marais. Ja. Intressant. Kanske", tillade han i sin vanliga iskalla ton.

Det kändes som om hon vaknat ur en trans. Förvirrad och arg slängde hon ifrån sig papperen och blängde på honom. "Det här är inte klokt!" utbrast hon. "Vi kan inte göra om alltihop nu! Du verkar inte förstå det här. Du har lejts för att regissera en skräckfilm med en blygsam budget och ett strikt tidsschema, och du bara vänder upp och ner på alltihop! Det blir katastrof. Du måste förstå att ..."

"Det kommer att bli ett mästerverk", avbröt han obevekligt. "Och du ska hjälpa mig att skapa det."

Plötsligt verkade hans humör förändras. Vårdslöst sträckte han ut benen. Morgonrocken delade sig och avslöjade ett par långa, muskulösa ben, beklädda med samma mörka silkeshår som täckte hans bröst. Helt oförklarligt blev hon torr i munnen.

"Eller låta bli. Det väljer du själv." Han log som om han hade sagt något lustigt. "Prata med din vän med de rörliga ögonbrynen och den hemska tupén. Vad var det han hette? Sly?"

"Sy", fräste hon.

"Jaha, Sy", sa han med en likgiltig axelryckning. "Tala med din advokat. Granska ditt kontrakt. Fundera på den här chansen att göra en mörk och spännande resa till vampyrens hjärta. Se in i din själ, Gemma de la Mare. Och jag tror du kommer att finna att du inte har något val."

5

När Gemma kom hem till sin lägenhet ringde hon till Sy. Hon lyssnade på lögner, halvsanningar och undvikande svar lika desperata som hans vickande ögonbryn. Hon lyssnade till en massa "men älskling" och "du förstår, raring" tills hon trodde att hon skulle spy. Till slut slängde hon på luren. Stönande läste hon igenom kontraktet igen. Sedan ringde hon sin advokat och hällde upp en stark grogg åt sig.

Till Nicholas Frere ringde hon inte.

Racine hade faktiskt rätt. Hon tycktes inte ha något val.

Hans gåtfulla råd att hon skulle se in i sin själ struntade hon i. Och hon ignorerade hans inbjudan att ... vad var det? Utforska vampyrens hjärta? Ryktet talade sant. Uppenbarligen gick han på droger. Kanske han skulle ta en överdos snart. Redan i kväll, om hon hade tur. I så fall skulle hon slippa åtal för kontraktsbrott och böter i ungefär samma storleksordning som statsskulden.

Hon drog för gardinerna mot eftermiddagssolen, klädde av sig och kröp i säng, borrade ner sig i sängkläderna. Sova kunde hon inte, hon sökte bara tröst. Hon försökte lugna sina upprörda sinnen genom att tänka på natten med Nicholas, deras ljuvliga, lekfulla älskog, hans kropps tröstande värme. Hon försökte förjaga Racines spöke med minnet av Nicholas. Det minnet svepte hon om sig som en filt för att utestänga verklighetens köld, och till sin förvåning lyckades hon somna.

Men under sömnen kom han till henne, slet henne ur den tröstande omfamningen och slöt henne i bleka armar med mjukt, mörkt hår som blev till en svart sammetscape.

Och sedan stillade han sin hunger, bet i hullet mellan hennes ben som om det vore hennes hjärta, moget och rött och pulserande; slukade henne med sin giriga mun, drack från henne som om hennes skötes safter vore hans livsblod.

Hettan som översköljde henne var mörk och uppslukande. Hon överlämnade sig åt den, längtade efter att bli slukad, efter att få mätta hans hungriga mun, mata honom med sin kropp. Hans tunga dök djupt in i henne, så djupt att hon föreställde sig hur den slingrade sig kring hennes hjärta och drog ner det till maggropen, där hennes muskler knöt sig och spändes i spasmer.

Han var våldsam och överväldigande, och hon gav villigt vika, ett ivrigt offer för den glupska vampyr-munnen som satte henne i brand medan den förtärde henne. Snabbt och säkert, med precisionen hos ett rovdjur, den dräpande gracen hos en slående hök, tvingade han henne till klimax, en rysande, bultande, pulserande klimax som var extatiskt utplånande.

Hon ryckte och vred sig och väcktes av styrkan i den glödande orgasmen. Men sekunden innan hon vaknade hade han lyft ansiktet mot henne, och hon hade sett grymma, grå ögon lysande av triumf och läppar fläckade av hennes blod.

Det var Alexei Racines ansikte.

Det dröjde länge innan andningen blev normal, innan orgasmens dallrande efterdyningar stillnade, innan hon kunde glömma blicken i hans ögon, den silverglänsande triumfen, de mörkt rubinröda dropparna av blod på hans läppar.

"Bryt", sa Racine tonlöst, reste sig från regissörsstolen och började irriterat vanka omkring. Gemma såg honom röra sig med kattlik grace medan han klev över de tjocka sladdarna som ormade sig över golvet. Helt kort önskade hon att han skulle snubbla och bryta nacken av sig. Hon sneglade på de två skådespelerskorna som nu väntade tjurigt under de heta strålkastarna och såg samma önskan i deras ögon.

Två veckor hade gått, veckor av febrila omarbetningar, stora ändringar och små detaljer. Gemma tyckte att hon numera tillbringade hälften av sin tid i telefon med att göra upp arrangemang, ändra dem, bekräfta, avboka, bekräfta på nytt. Hon var alldeles utsliten, och resten av teamet tycktes befinna sig i den underliga, nervösa utmattning som hörde till en filminspelnings sista dagar. Racine själv verkade outtröttlig.

Lyckligtvis hade han gått med på att börja med några enkla scener som kunde filmas i studion, vilket skulle spara tid och pengar. Det hade Gemma i alla fall hoppats. Men han var en skoningslös perfektionist, begärde den ena omtagningen efter den andra av de simplaste scener, och budgeten riskerade att stiga till väders, särskilt med tanke på hans beslut att spela in större delen av filmen i Bretagne ...

Hans röst skar in i hennes tankar.

"Det här är en enkel berättelse", sa han med illa dold nedlåtenhet till de två aktriserna som hade kämpat med denna enda scen i snart två dagar. "Vi fångar sagan om Dracula på en enda natt. Lucy och Mina, ni är gamla vänner på resa genom Europa med make och fästman. En plötslig, häftig storm har tvingat er att söka skydd i slottet. Ni har blivit förda till era rum för att byta om. Era kläder är genomblöta. När ni gick uppför trappan fick ni en kort skymt av greven. Bara en skymt, förstått? Men det var ett mäktigt ögonblick, djupt skakande. Ni kände det båda två. Det var lusta, blodtörst, åtrå och begär. Det borrade sig genom er, gjorde er våta och kåta. Men ni är respektabla viktorianska damer. Ni förstår inte sådant. Ni undertrycker det. Men er kropp minns. Ni måste använda kroppen, visa att er kropp minns."

Han återvände till sin stol och nickade åt arbetarna. "Tagning", ropade en dold röst. "Tyst på scenen."

Gemma stod bredvid Racine och såg skådespelerskorna återta sina positioner. Hon hoppades förtvivlat att de skulle lyckas åstadkomma någonting som han blev nöjd med. Han verkade inställd på att ingjuta en mörk erotik i filmen, till och med i de grundläggande, sammanbindande passagerna, och hon tyckte synd om de två kvinnorna som svettades under lamporna. Det var svårt, nästan absurt, att visa ett minne av undertryckt åtrå när det enda som hände i scenen var att Mina hjälpte Lucy av med kappan och borstade ut hennes hår.

"Bryt! Det här duger inte." Racine reste sig igen och gick över scenen utan att bry sig om stönen från de andra. "Jag ska visa er vad jag är ute efter." Han viftade undan de två skådespelerskorna. "Var är Lucys inhoppare? Nej, vänta. Gemma, kom hit!"

"Va?" sa hon förskräckt.

Han pekade på den röda tejpremsan på golvet. "Gå fram till märket, vänta medan jag tar av dig kappan och sätt dig sedan framför spegeln."

Han väntade inte på hennes samtycke utan gick bara fram till den blå linjen som dirigerade Minas steg.

Gemma öppnade munnen för att protestera men kom av sig då hon såg förändringen i Racines rörelser. De var på något sätt mer gracila, flytande, feminina. Hon kunde nästan höra frasandet av tunga, regndränkta kjolar som släpade mot stengolvet, känna de nerkylda, trötta, vita lemmarna som doldes av tjocka kvinnokläder ...

"Nu", befallde han.

Hon blinkade, förbryllad av den kortvariga illusion han hade skapat. Sedan slängde hon sina anteckningar på hans stol och gick ut på scenen medan hon drog på sig den våta kappan som Lucy räckt henne.

Hon stod på märket och kisade lite mot ljuset från de starka lamporna. De använde strålkastare som lade bakgrunden i mörker och enbart belyste skådespelarna och toalettbordet, och det var nästan outhärdligt hett. Hon stod med ryggen vänd mot Racine.

"Titta nu", sa han.

Hon kände honom bakom sig när han lade händerna på hennes axlar i en rörelse som var på samma gång opersonlig och intim. Händerna dröjde sig kvar en smula för länge, ett kort ögonblick som tycktes dra ut i det oändliga, och sedan gled de till bandet som höll ihop kappan i halsen. Häpen kände hon hans fingrar skälva lätt mot hennes hud i en slumpartad, flyktig beröring, så flyktig att hon undrade om hon bara hade inbillat sig.

"Den subtila gesten", sa Racine. "Det här är film, inte teater. Kameran observerar i närbild. Mina, låt din hand darra lite mot Lucys hals. Bara lite, när du känner hennes lena skinn på ett nytt sätt, ett oroande sätt, och undermedvetet märker halspulsådern, livskraften så nära din hud. Låt kappan glida av långsamt, ömt, kärleksfullt, som om dina fingrar känner det din hjärna inte vill kännas vid."

Hon kände värmen från hans händer rakt genom kappan när han makade ner den från hennes axlar, kände den lika tydligt som om han rört vid hennes nakna hud. Det fanns en behärskad intensitet i hans beröring, en osedd, outtalad längtan som tycktes tala till hennes kropp, väcka upp nervändarna, blåsa liv i hennes hud.

Hon visste att hon bara ryckte in för skådespelerskan som spelade Lucy och inte var annat än ett stycke rekvisita. Hon visste att teamet iakttog dem noga. Och hon visste att hon avskydde den tyranniske, oborstade, arrogante mannen som stod bakom henne och drog ner kappan från hennes axlar.

Men på något sätt fanns det magi i hans händer, en illusorisk magi som lurade hennes kropp, fick huden att hetta och pulsslagen att öka, nästan som om hon verkligen vore den naiva, viktorianska Lucy som reagerade på den oskuldsfullt erotiska beröringen från sin väninna.

"Sätt dig vid spegeln."

Det var bara rösten som inte passade in, den korthuggna, kalla rösten med isande vokaler och sträva konsonanter. Konstigt nog bröt den inte händernas förtrollning, och hon gick tyst fram till toalettbordet, satte sig framför spegeln och slöt ögonen.

"Se här nu."

Med fingrar varsamma som en kvinnas lossade han hennes uppsatta hår och lät det falla ner över axlarna. Sedan tog han den tunga silverborsten från bordet och började borsta håret med långa, jämna tag. På något sätt var det lugnande och samtidigt eggande att sitta orörlig under de starka lamporna, under de vakande ögonen, och känna den mjuka borsten mot hårbotten, hans fingrars smekande beröring då de slätade till hennes hår.

110

Han borstade med rytmiska tag som gav eko djupt inne i hennes kropp. Det var som om han rört vid hennes inre. Hon kände sig lugnad och omhuldad, smekt till ro som ett älskat barn, och samtidigt starkt upphetsad.

Det var Racine men ändå inte Racine. Hans kvinnligt ömsinta handlag med hårborsten skar sig mot den manliga myskdoften från hans kropp. Under de skoningslösa lamporna svettades de båda två, och hon kände tydligt hans lukt. Hon svalde, plötsligt torr i munnen.

Han borstade liv i hennes sinnen, skapade en varm, pirrande medvetenhet som uppslukade hela hennes kropp, från hårbotten till tårna, en fladdrande, smältande värme som samlades mellan hennes lår. Hon kände bröstvårtorna styvna, sitt kön svullna och fuktas, och hon pressade ihop låren och skruvade på sig en aning för att bemästra känslan, dölja den bultande upphetsning som börjat pyra under hennes hud.

Ingen märkte något, tänkte hon vilt. Ingen kunde föreställa sig den envisa, böljande hettan i hennes maggrop, den fuktiga värmen mellan hennes lår. Det var ett begär som enbart kunde stillas av att en man tryckte sin hårda kropp mot hennes, trängde in i henne ... Ofrivilligt lutade hon sig en smula bakåt, krökte sig instinktivt mot den heta, manliga närvaro hon anade bakom sig.

"Utmärkt", sa Racine och kastade borsten på toalettbordet.

Ljudet fick henne att rycka till och slå upp ögonen. I spegeln såg hon att hon var röd i ansiktet, åtråns skvallrande rodnad, och hon bet ihop tänderna. Tack och lov för hettan från lamporna. Hon såg sig vaksamt omkring, men alla hade uppmärksamheten riktad mot Racine.

"Den subtila rörelsen är allt", sa han. "Det knappt märkbara. Ni såg att Gemma pressade samman låren och lutade sig lite mot mig, nästan omärkligt? Motvillig, ofrivillig eggelse. Mycket bra spelat", tillade han med en sardonisk glimt i ögat när han helt kort vände sig till Gemma, en glimt som sa henne att han hade anat hennes kropps gensvar.

I den stunden hatade hon honom mer än hon någonsin kunnat föreställa sig.

"Nu så", sa han och tittade på flickorna som spelade Lucy och Mina. "Sätt i gång. Och du ska se på", sa han till Gemma med handen hårt om hennes nacke.

Hon var alldeles omtöcknad, kom inte ihåg att hon hade lämnat den upplysta scenen, mindes inte att hon hade sjunkit ihop i regissörsstolen. Men det hade hon, och hans hand låg tung om hennes nacke. Det var som om det vore första gången han rörde vid henne, och hon var både generad och äcklad och – skamligt och hemligt – upphetsad.

Lucy och Mina upprepade de enkla rörelserna, de enkla gesterna, och motvilligt fann sig Gemma ryckas med av scenens subtila sensualism, av de två kvinnorna som var så starkt medvetna om varandra, naiva men ändå vällustiga, oskuldsfulla men ändå liderliga.

Det var absolut tyst runt scenen, en stillhet som skilde sig från den som vanligen omgav en tagning. Det tycktes finnas en medvetenhet, ett tigande samförstånd som närdes av den undertryckta erotiken hos de två kvinnorna under de heta strålkastarna. Gemma kände hur hon på nytt drogs in i scenen och önskade för ett kort ögonblick att hon vore tillbaka i lampljuset, fick känna de varsamma, kvinnliga händerna, för första gången fick smaka den ljuva, förbjudna dekadensen i oskuldsfull köttslighet. Hon var smått chockerad över sig själv.

"Bryt! Där satt det." Alexei Racine släppte äntligen taget om hennes nacke och flyttade sig undan. Suckar av lättnad och triumf hördes, och sedan pratade alla på en gång, glada och upplivade, nästan euforiska.

Gemma satt stilla, sjudande och frustrerad, medan Racine nickade och smålog mot de två kvinnorna. Utan skymten av tvivel visste hon att han tänkte ta dem båda två. Det gick inte att missta sig på avsikten i hans bleka, silvergrå ögon.

Hon vände sig bort och försökte skyla sin egen upphetsning bakom en tunn mask av granntyckt avsmak.

Den kvällen ringde Gemma till Nicholas. De hade talats vid på telefon ett par gånger efter sin natt tillsammans, vänskapliga samtal där frågan om när de skulle träffas igen tack och lov hade förblivit outtalad. Han verkade vara lika upptagen som hon – med vad visste hon inte riktigt. Han hade inte visat sig på inspelningarna, så om han hängde ihop med Racine gjorde han det utanför studion. Eller så kanske han hade övergett idén om en biografi. Hon visste inte, och brydde sig inte om det heller.

Vad hon behövde – nej, vad hon ville ha, rättade hon sig – var lite andrum. En trevlig kväll i trevligt sällskap. En god måltid i stället för de mikrouppvärmda, plastinslagna anrättningar hon hade fått hålla tillgodo med på sistone. All sådan mat smakade likadant, eller ännu värre, ingenting alls. Ja, en god måltid, en flaska fint vin – och lite skönt sex. Något som kunde stilla den hungriga värken mellan låren, utplåna minnet av Racines händer i hennes hår, åsynen av Lucy och Mina ...

För en stund hejdade hon sig med handen utsträckt mot telefonen. För en eller två månader sedan skulle hon inte ha tänkt på det här sättet, insåg hon med en viss förvåning.

113

Hon hade aldrig betraktat sig själv som särskilt passionerad, men hon kunde heller inte påstå att hon var romantisk. Det gamla åttiotalsidealet att "skaffa sig allt" hade försvunnit tillsammans med föreställningen om "Superkvinnan". I askan efter alltför många sammanbrott, skilsmässor och krossade drömmar rasade nittiotalets könskrig. I stort sett hade hon varit lika likgiltig inför de sexualpolitiska frågorna som inför själva sexualiteten; det gick plötsligt upp för henne.

Och nu ville hon helt enkelt ha sig ett ligg. God mat, gott vin och ett gott knull, helst i den ordningen. Tanken gjorde henne förstummad. Var det så män såg på sex? Det verkade så rått, så ... kärlekslöst.

Men det visade sig bli varken rått eller kärlekslöst. Gemma och Nicholas åt en delikat måltid tillsammans; paté följd av sjötunga och ostbricka. Till detta drack de Beaujolais och Niersteiner, samt lite av den förträffliga konjaken han hade på sitt rum.

Sedan gick de till sängs och möttes i ett famntag som var omväxlande eldigt och ömsint. Han kysste henne överallt, djupa tungkyssar, lätta, lekfulla kyssar, vidöppna, hungriga kyssar på axlar, armar och bröst, på magen och mellan benen. Han slickade och nafsade och sög tills hon kom i en varm våg av njutning.

Men till och med när hon låg mättad bredvid honom fann hon att hennes tankar återvände till den vilda, röda hetta som genomströmmat henne under de starka strålkastarna, känslan av Alexei Racines händer i hennes hår, den liderliga oskulden hos Lucy och Mina. Förstrött undrade hon vilka perversa lekar de tre ägnade sig åt just nu.

Alexei Racine läppjade på ett glas champagne medan han såg de två kvinnorna klä av sig. De verkade blyga och oförvägna, tafatta och fingerfärdiga på samma

114

gång, och de iakttog honom med en blandning av vördnad och upphetsning. De åtrådde honom till och med mer än de åtrådde varandra.

Det förvånade honom inte.

Han hade lockat ur dem ett skådespeleri som fått dem att häpna över sig själva och kanske gjort dem en smula chockerade, hade tvingat dem att finna en hemlig, rent feminin sensualism. Han var katalysatorn, frambesvärjaren, trollkarlen – regissören. Det var han som stal deras vilja, förmådde dem att blotta sig inför kamerans skoningslösa öga, blottlägga sina själar på en remsa celluloid. Han var på en gång präst och pirat, biktfader och bödel. Makt, detta ultimata afrodisiakum.

Han njöt av den bekanta blicken i deras ögon, njöt av den kick det gav honom att veta att han kunde göra vad som helst med dem, precis vad som helst, och de skulle välkomna det med tacksamhet och öppna sig för honom helt och fullt.

Helt kort tänkte han på Gemma, på den flyktiga glimt av förakt han sett i hennes ögon när hon vänt sig bort. Han log vid minnet.

Men flickorna gav honom snart annat att tänka på. Medan Mina fumlade med hans skjortknappar och Lucy expertmässigt drog ner hans gylf, kände han att han styvnade och övervägde hur han skulle ta dem. Att de skulle finna trevande och förtäckta sätt att upptäcka varandra, ge varandra njutning, tvivlade han inte på. Han gladde sig åt att få känna dem famla efter varandra, att få se dem upptäcka tjusningen i att utforska en kvinnlig kropp för första gången.

På knä framför honom slöt Lucy munnen om hans uppsvällda penis, lät tungan löpa runt det bultande ollonet och blev förtjust när hon kände honom svälla ytterligare. Nästan andlös av upphetsning drog hon

115

med fingertopparna över det lena, mörka håret på hans hårda, muskulösa lår, och ryste till när hon kände att Minas fingrar varsamt snuddade vid hennes.

Det var så hon tänkte på henne nu, som Mina, filmens rollfigur, precis som hon själv var Lucy, en blyg och oskuldsfull Lucy som för första gången smakade lusta.

Och det var ren och skär lusta att känna hans hårda lem svälla och pulsera mellan hennes läppar medan hon följde den stora venen på undersidan med tungan.

Hon glömde att hon hade tyckt ganska illa om flickan som spelade Mina, glömde att hon hade kommit att avsky Racine, glömde allting för den mörka förtrollningen i att överlämna sig till den roll han hade gett henne. Hon var en lidelsefull oskuld med en vig och skicklig tunga, en naiv jungfru med en het och alltmer pockande puls mellan benen.

Och när han drog upp henne på fötter och tryckte hennes huvud mot sina trubbiga bröstvårtor visste hon precis vad han ville, att hon skulle slicka dem försiktigt, stimulera dem varsamt, behandla dem som om de vore kvinnligt mjuka och känsliga, och inte de hårda små knoppar som nu knottrade sig lätt mellan hennes läppar.

Hon gled med tungspetsen genom mörkt, lockigt hår, slickade de hårda vårtorna som nätt och jämnt reagerade för hennes fladdrande tunga, och hon föreställde sig Minas bröst, med stora, skära knoppar som skulle bli uppsvällda av blod, ömtåliga vårtgårdar som skulle rynka ihop sig under hennes sugande mun.

Mina var bakom henne nu, tryckte brösten mot hennes rygg så att bröstvårtorna gneds mot skulderbladen. En hand gled in mellan hennes lår och särade hennes inre läppar, fingrar trycktes in i henne och prövade hennes upphetsning. Hon var redan fuktig och kände nu att hon blev ännu våtare. Musklerna i slidan slöt sig krampaktigt om de trevande fingrarna.

Och så kände hon Mina röra sig, kände hennes bröstvårtor stryka nerför ryggen, stanna till vid ryggslutet, sedan fortsätta längre neråt och svepa över skinkornas spända halvklot. Den fjäderlätta, försiktiga beröringen ökade på något sätt hennes medvetenhet om de hårda, manliga kroppsdelar hon smekte med läppar och händer.

Plötsligt kände hon något konstigt mellan benen, något mjukt men ändå fast, som tvingade hennes ben längre isär samtidigt som de trevande fingrarna försvann. Det gick nästan för henne när hon kände mjukt hår stryka mot den upphettade vulvan och förstod att Mina hade huvudet mellan hennes lår. Racines höfter började stöta mot hennes, och hon kände rörelsen som ett svagare eko mellan sina ben när Mina tog honom i munnen.

Minas huvud rörde sig fram och åter, håret strök mot Lucys hala blygdläppar, mot hennes svullna klitoris, i en allt snabbare takt. Hon kände den första, fladdrande förvarningen om att orgasmen var på väg, den flytande hettan mellan benen, den pirrande anspänningen i maggropen.

Då tog Racine ett steg tillbaka. På hans tysta uppmaning flyttade hon sig till sängen, drog undan det mjuka överkastet och tänkte gömma sig mellan lakanen, svalka sin hettande hud som den skälvande oskuld hon nästan trodde sig vara.

"Nej."

Han arrangerade hennes kropp som han ville ha den, särade hennes ben så att hennes köns fuktiga, skära blad var fullt synliga, öppnade henne helt. Hon började tappa den betryggande slöja som rollen gett henne, ryste lite när verkligheten trängde sig på, och skruvade på sig. Genast var han bredvid henne med munnen het och hungrig mot hennes strupe och händerna hårda mot hennes bröst, och hon kände Minas mjuka läppar mot sin kropp.

Minas tunga skummade lätt över hennes känsliga veck, läppjade på fukten, fladdrade över klitoris och övergick sedan till insidan av låren.

Under Racines hårdhänta smekningar blev bröstvårtorna hårda och utspända, svullna, värkande spetsar stimulerade till en nivå som gränsade till smärta. Just när hon började längta efter hans tungas milda smekningar slöt han munnen om hennes bröst och sög hårt och girigt.

Hon gav till ett lågt rop och kände hur Minas tunga borrade sig djupt in i henne.

Långt senare samma kväll, i Paris, fick Leo Marais ett telefonsamtal. Han satt och kopplade av i den lilla salongen i sitt residens i stan. Framför honom brann en munter brasa i den moderna marmorspisen. Det flackande skenet spelade över de tunna linjerna i en bronsskulptur av en kvinna, gjord av Giacometti, som Leo hade lyckats förvärva samma eftermiddag. Han beundrade verkets utmärglade skönhet medan han smuttade på gammal fin konjak och rökte en cigarr.

Vid hans fötter låg Gabrielle de Sevigny i en ostrongul sidenmorgonrock, tunn som silkespapper. Genom tyget såg han hennes mörka vårtgårdar och den mörka behåringen mellan låren. Hon strök varsamt hans fötter och väntade undergivet.

Han visste att hon var nybadad och parfymerad och längtade efter hans smekningar, visste att hon var våt inuti och att hennes stjärthål var insmort, att båda hennes öppningar var redo att ta emot honom närhelst han fick lust. Minsta gest skulle öppna henne för honom, men numera visste hon bättre än att be om det.

För några veckor sedan hade hon beklagat sig över att han var för fjär, för kylig. De hade legat i sängen och druckit champagne medan de vilade sig efter älskogen.

Utan ett ord hade han tagit en isbit från ishinken, tryckt den mot hennes alltjämt upphettade slida, skjutit upp isbiten i henne med tungan och förbjudit henne att röra sig innan den smält. Hennes häftiga orgasm hade förvånat honom.

Ja, tänkte Leo, hon hade varit läraktig. Han kunde vara nöjd med henne. Han hade tränat upp henne noga, och belöningen var ljuv. Precis som Giacomettin var Gabrielle en seger. Men till skillnad från skulpturen skulle hon snart börja mista sin dragningskraft. Hur kom det sig, undrade han, att belåtenhet – för belåten var han – så omärkligt, så oundvikligt måste glida över i leda?

Han suckade och fyllde på konjaksglaset och blev riktigt lättad när telefonen ringde.

"*Oui?* Ja, ja, min vän", sa han och drog otåligt foten ur Gabrielles ömma händer. Den fastnade i fållen på hennes morgonrock, vilket hon tog som en signal till att klä av sig. Men så hade han inte menat, och han tecknade tankspritt åt henne att lägga sig på golvet igen.

"Ja, det kan givetvis ordnas. Förberedelserna är redan i gång. Men jag måste säga att jag inte förstår dina skäl."

Det blev tyst en lång stund.

"En märklig idé, min vän", kommenterade Leo till sist med lätt rynkad panna. "Jag brukar ge bort mina kvinnor först när jag är färdig med dem. Du gör det innan du ens har börjat. Varför?"

119

"En avsiktlig inversion. Eller menar jag kanske perversion?" svarade Alexei Racine innan han avslutade samtalet.

Gabrielle betraktade sin älskare med uttryckslöst ansikte medan hans ord brände sig in i hennes hjärta. Leo? Gav han bort sina kvinnor när han var färdig med dem? Det var en fasansfull tanke som etsade sig in som syra i hennes själ.

Hon hade inte fört sig själv bakom ljuset, inte lurat sig själv att tro att förbindelsen mellan henne och Leo var något mer än ett utsökt kropparnas möte. Om hon någonsin bar rosafärgade glasögon, var de av ett flott märke och matchade hennes senaste dräkt.

Men hon var ärlig mot sig själv. Leo var som en drog för henne, en starkt beroendeframkallande drog. Numera kunde hon inte tänka på honom utan att känna en krampryckning av åtrå. Minsta minnesfragment kunde göra henne våt. Tanken på hans händer, hans vackert formade fingrar. Hans hår, mörkt och tjockt och blankt, när han böjde huvudet mot hennes bröst. De vita tänderna som slöt sig om hennes bröstvårtor.

Men det var inte bara hans kropp.

Han hade en machiavellisk sensualism, en smak för makt som var lätt kryddad med grymhet, i kombination med en hedonistisk uppskattning av njutning. Sammantaget gjorde det honom till den mest fantastiske älskare hon någonsin haft.

Han var den förste hon mött vars sexuella fantasifullhet överträffade hennes egen. Till skillnad från de flesta män hade han ingenting emot sexuella hjälpmedel, som massagestavar, penisattrapper och salvor. Det kanske aldrig hade slagit honom att många av föremålen var avsedda att ersätta det manliga organet. Eller också var han så viss om sin skicklighet med tunga, händer, mun och penis att han inte drog sig för att använda hjälpmedel och därigenom öka både sin egen prestation och hennes njutning.

Med en rysning av vällust mindes hon hur han en gång hade sett på medan hon hetsade upp sig själv med en massagestav, hur han lutat sig in mellan hennes lår medan hon lät den vibrerande staven spela över ömtåliga vävnader och trumma mot klitoris. Han hade låtit henne föra in den, låtit henne njuta av den kittlande massagen tills hon närmade sig utlösning. Först då hade han ryckt ut staven och trängt in i henne själv. Samtidigt hade han lirkat in en liten vibrator i hennes bakre hål, och den vanvettiga upphetsning hon känt när hans kraftiga stötar mötte den skälvande vibratorn hade gett henne en orgasm vars like hon aldrig upplevt.

Hon kastade en blick på honom under sänkta ögonfransar. Han satt och stirrade in i elden med rynkade ögonbryn. Jaså, Leo Marais gav bort sina kvinnor när han var färdig med dem? Han verkade faktiskt vara den sortens man, det måste hon medge. Stoltheten krävde förstås att hon själv skulle avsluta historien innan han gjorde det – men det var hon inte redo för.

Fanns det något sätt att behålla denne man, vända hans sexuella färdigheter emot honom, förtrolla honom som han hade förtrollat henne?

"Kom hit, Gabrielle."

Graciöst ålade hon sig ner bredvid honom i den breda, vita skinnfåtöljen. Tankar och vilja dränktes i hettande förnimmelser när hans skickliga fingrar tveklöst sökte upp hennes klitoris och snabbt eggade upp henne med fasta, snabba tag. Hennes kropp var så väl inställd på hans beröring att hon nästan omedelbart kände orgasmen närma sig.

Men Leo verkade tankspridd. Hans ögon som var fästa på Giacomettin avslöjade honom, inte hans ivrigt arbetande fingrar.

"Vill du ha lite mer konjak?" frågade hon lågt och försökte hålla samma distans som han, trots att musklerna knöt sig i väntan på den annalkande orgasmen.

"Mmm. Tack, kära du."

Med sin lediga hand höll han fram konjakskupan. När hon lyfte karaffen från bordet bredvid sig darrade hon på handen.

Hans fingrar slank in i henne, smekte henne försiktigt tills hon kände orgasmens första små darrningar. Då ökade han takten, lät fingrarna kretsa kring mynningen och borrade dem sedan djupt in, rörde dem i takt med slidans pulserande väggar och drev henne skickligt över gränsen.

Han kände hur slidan kramade hans fingrar, små ryckningar som tilltog i intensitet när han fortsatte att föra fingrarna in och ut, och blev till skälvningar då hennes kropp drog ihop sig i upprepade kramper. Han väntade på hennes stön, den jämrande och undergivna lilla suck som hon alltid lät höra när det gick för henne. Men den kom aldrig. De ojämna andetagen var det enda tecknet på de heta vågor som sköljde genom hennes kropp.

Nyfiken tog han blicken från skulpturen och såg ner på henne. Hennes kinder var röda och ögonen blanka.

"Gabrielle?" Hans fingrar var fortfarande kvar inne i henne.

"Mmm", svarade hon. "Jag skulle också vilja ha en konjak."

"Naturligtvis." Ett småleende lyste upp hans ögon. Hon var verkligen en suverän skådespelerska. Det var bara de rosiga kinderna och glansen i ögonen som avslöjade att hon fått orgasm. "I slutet av veckan reser jag från Paris", tillade han och iakttog noga hennes reaktion.

"Jaså?" Hon tog bort hans hand, reste sig och böjde sig ner efter morgonrocken. När hon vände sig mot honom igen var hennes ansiktsuttryck helt neutralt.

"Ja, jag måste titta till slottet och se till att allt är som det ska."

"Stackars Leo, så trist för dig." Hon hämtade en kupa och slog upp lite konjak åt sig.

"Nej, trist blir det inte, det är jag säker på", sa Leo. "Vill du följa med?"

Hans impulsiva inbjudan överraskade honom själv. Hon betraktade honom eftertänksamt.

"Ja, det kanske jag gör."

Gemma satt i det lilla visningsrummet i studion och såg på de färdiga filmsnuttarna. Det var så tidigt på dagen att ingen mer hunnit komma än, och det var hon tacksam för. Hon var nämligen totalt förstummad. Det hon såg var briljant, betvingande och förtrollande. De lösryckta sekvenserna av synbart orelaterade händelser hade lika stor slagkraft som en fullständig berättelse.

Racine var ett geni, det måste hon erkänna. En spydig, egocentrisk och odräglig usling, men ett geni likafullt. Hon stoppade filmen mitt i scenen mellan Mina och Lucy och skakade förundrad på huvudet. Denna korta scen, som efter klippningen skulle komma att uppta högst två minuter av filmens sammanlagda längd på en och en halv timme, var i sig själv en konstens triumf.

Vad skulle han då inte kunna göra med inspelningarna vid det gamla kärntornet och den förfallna gravplatsen med de kala, lutande träden? De var så gott som klara med studiotagningarna. Racine hade insisterat på att större delen av filmen skulle spelas in i Bretagne för atmosfärens skull, och han hade åtagit sig att arrangera det hela.

Det var konstigt, nu när hon tänkte efter. Han hade gått med på alla hennes förslag som om han själv aldrig hade sett stället, och ändå verkade det som om han kände ägaren. Gemma skakade på huvudet. Racine hade skapat kaos i den normala, välordnade, definierade ledningshierarkin. Hennes assistent, Jane, hade sugits upp av det androgyna kotteriet som omgav Racine och tycktes fungera kollektivt som regiassistent. Gemmas egen roll verkade växla utan förvarning – så sent som i går hade han använt henne som stand-in! Hon sände en avundsjuk tanke till Sy och Zippo, som föga förvånande hade flytt tillbaka till Barbados.

Med en suck återgick hon till filmduken.

"Det är bra", sa en röst bakom henne.

Den rösten kände hon igen. Den fick det att krypa i skinnet på henne. Hade det varit någon annan än Racine skulle hon ha sagt sanningen, att det var fullkomligt lysande.

"Ja, det duger", sa hon lugnt utan att vända sig om.

Konstigt nog verkade han inte bli förorättad.

"Ja, det tycker jag också."

När hon vände sig mot honom flammade en tändsticka upp och hon kände den fräna röken från hans cigarrett.

Det gick runt i huvudet på henne. För ett ögonblick blev det mörka rummet till forngraven, den underjordiska gravkammaren. Den uppflammande tändstickan blev preludiet till hans eldiga kyss, hennes drömälskare, hennes demonälskare ...

"Vi far till Bretagne i slutet av veckan", sa Racine och tände lamporna.

Gemma blinkade till när hennes egendomliga känsla upplöstes av ljuset och den bekanta skärpan i hans röst.

"Det går inte att ordna med så kort varsel", invände hon automatiskt. "Transporter, husrum …"

"Det är redan ordnat", avbröt han och drog ett bloss på cigarretten. "Vi måste dit innan ljuset förändras, före våren. Sex veckor borde räcka."

6

Den grå Jaguaren susade fram längs vägen mot Carnac. Gabrielle de Sevigny borrade ner hakan i kragen på sin hellånga minkpäls och betraktade Leo tankfullt. Paris låg bakom dem; han hade knappt pratat med henne medan han manövrerat bilen genom den täta trafiken, och hon hade respekterat hans tystnad, förmodat att han behövde koncentrera sig helt och fullt på den enerverande röran av bilar och bussar, skåpbilar och cyklar, och de japanska turisterna med sina kameror, som av någon obegriplig anledning envisades med att ställa sig mitt i gatan.

Men nu låg vägen öppen framför dem och han hade fortfarande inte sagt ett ord. Han kanske inte tyckte om att prata medan han körde? Det visste hon inte. I själva verket visste hon inte mycket om Leo över huvud taget.

Konversationen hade aldrig varit en viktig del av deras förhållande. Det var kropparnas språk som var det väsentliga. Även med bindel för ögonen skulle hon kunna känna igen varje bit av hans hud, hans kuk, smaken av honom, bland hundratals, tusentals andra. Men de talades sällan vid. Och när de gjorde det, var det i sexuella termer. Hårdare. Fortare. Djupare. Sakta. Nu.

Alltså var hon angelägen att få veta mer om honom, utanför sovrummet. Inte för att de alltid begränsade sig till sovrummet, tänkte hon och log inom sig. Men den långa färden till slottet var första gången de hade varit tillsammans utan att sex var det primära målet, och hon ville komma underfund med honom på andra sätt. För en viss klass av fransyskor – välutbildade och politiskt medvetna kvinnor – är konversation lika stimulerande som sex, eller åtminstone nästan, och Gabrielle älskade att prata.

"Din gode vän, Alexei Racine", inledde hon och valde ett ämne på måfå. "Hurdan är han?"

Leo teg länge, så länge att hon började tro att han inte tänkte svara eller att han inte hade hört henne.

"Han gillar Picasso", sa han till slut.

"Jaså, gör han?" sa Gabrielle uppmuntrande.

"Ja."

Kilometerna gled förbi. Just när hon tänkte uttrycka sina egna åsikter om Picasso, att hon föredrog den realistiska romantiken i hans tidigare verk, att hon var avvaktande inför hans Blå och Rosa perioder, tog Leo till orda igen.

"Han tycker om Renoir och Modigliani också, men han föredrar Picasso." Hans tonfall var beklagande.

"Jag förstår", sa Gabrielle. Hon anade att Leo inte skulle välkomna én lång diskussion om kubism gentemot nyklassicism, så hon återvände till det förra ämnet.

"Han är verkligen begåvad. Vad tyckte du om 'Naken under stjärnorna'?" frågade hon och syftade på Racines senaste film.

"Jag har inte sett den", svarade han med ögonen på vägen.

"Inte?" Hon blev förvånad. Kritikerna hade varit hänryckta och beskrivit den som en betydelsefull *tour de force*.

"Jag ogillar film", förklarade han kort.

"Aha", sa hon med tunn röst. Inte konst, alltså, och inte film. Och att diskutera politik passade sig inte med tanke på hennes makes ställning. Vad skulle hon då prata om?

Leo hade tankarna på annat håll. Han tänkte på en dansös av Degas som nyligen kommit ut på marknaden. Hans konsthandlare hade ringt honom samma morgon och nämnt ett löjligt pris. Alldeles otänkbart.

Men hon var så vacker, den där dansösen. Fotografiet han sett hade gjort honom salig. Hon var ung och gracil, fräsch som våren, hela hennes kropp var dans, vighet och flytande rörelser, och han ville ha henne.

I de skulpterade kvinnofigurerna förenades två av hans stora passioner: sex och den kvinnliga kroppen. Den lidelsefulla kärleken till skulptur i alla dess former var nära besläktad med hans enorma aptit på kvinnor. Tablån han hade anordnat på nyårsfesten i slottet hade fullkomligt fångat och uttryckt hans dubbla passion. Han förälskade sig i sin skulptur och älskade med kvinnorna som tycktes förkroppsliga dess väsen. Och han hade gett sig hän till dessa två konstformer som ofta sammansmälte.

Han var en skicklig samlare.

En suverän älskare.

Och då och då en likgiltig samtalspartner.

Nu funderade han på Gabrielle och Degas, vad Degas kunde ha gjort av henne, och hur han, Leo, skulle kunna förvandla den inspirerade tanken till någon sinnlig balettfantasi, en hyllning till dem båda och till deras vitt skilda typer av genialitet, som ändå kompletterade varandra. Ingenting så banalt som en tyllkjol och en barr. Nej, mer fantasifull var han minsann både som konstkännare och som älskare.

Jo, tänkte han och fick stånd vid blotta tanken, han skulle köpa dansösen, till och med till det absurt upphaussade pris som hans handlare hade angett. Han skulle ha henne. Men i hans fantasi gick Gabrielle inte riktigt ihop med Degas. Och hon hade sannerligen inga likheter med den utmärglade Giacomettin han nyligen köpt. Men han kom ihåg hur hon hade dragit ihop sig runt hans fingrar kvällen innan, så hårt och krampaktigt att han nästan känt sperma kramas ur fingertopparna. Om han hade haft sin penis inne i henne då, visste han att han skulle ha kommit på ett ögonblick och mjölkats tom på varje livgivande droppe av hennes konvulsiviska, pulserande spasmer.

Han var stenhård nu, men han visste inte om det berodde på minnet av hennes orgasm eller det förestående köpet av Degas dansös.

"Gabrielle, får jag din fot."

"Va?"

"Din fot. Vaden, låret."

"Vad i ..."

"Jag tänker på dans, på balett. Ge mig din fot!"

Hans ögon var fortfarande fästa på vägen, men hans högra hand låg väntande på sätet mellan dem. Hennes kropp reagerade instinktivt på hans ord. Hon sparkade av sig skon och lyfte sitt ena silkesklädda ben till hans hand.

"Balett?" sa hon intresserat. "Pierre och jag var på Opera de Paris Garnier förra veckan och såg Svansjön, och jag ..."

"Tyst, Gabrielle."

Hans fingrar utforskade hennes fot, smekte det höga fotvalvet, senorna och musklerna, strök hennes tår. Beröringen var sensuell men märkligt klinisk, som om han måste följa varenda åder. Hennes tunna silkesstrumpor var som spindelväv under hans hand.

Hennes kropp gav genast gensvar, blev mjuk och villig. Bröstvårtorna hårdnade och det pirrade i skötet. Hon blev het och fuktig och kände den välbekanta dova värken mellan låren.

Hur kunde han ha en sådan effekt på henne, undrade hon dimmigt. Hur kunde han smälta hennes benstomme med en enda beröring?

Hans uppmärksamhet tycktes inte lämna vägen för en sekund medan hans hand färdades högre, undersökte vaden, kände på senorna i knävecket.

"Böj på musklerna, som om du dansade."

Automatiskt spände hon benmusklerna och kände till sin häpnad en motsvarande sammandragning i slidans muskler, som om de försökte sluta sig om någon osynlig, hård stake.

"Hårdare!"

Hon svalde, plötsligt torr i munnen, och gjorde som han sa. Bultandet i kroppen blev starkare, djupare, och hennes kön var slipprigt och hett. Nu var hon dyblöt, olidligt upptänd, nästan redo att få orgasm enbart av hans fingrars grepp om hennes vad.

Andlöst väntade hon på att hans hand skulle flytta sig högre upp, tryckas mot det uppsvällda skötet, och hon visste att det omedelbart skulle gå för henne.

"Ja, precis så", sa Leo och lät fingrarna sondera hennes knäveck.

Reflexmässigt spände hon musklerna igen. Pulsen mellan benen samlade och knöt sig och exploderade sedan i en orgasm som forsade fram i en snabb, elektrifierande tidvattensvåg. Hon ryste när den sköljde genom henne om och om igen, tills den flammande hettan avtog och långsamt övergick i en stilla glöd.

Leo höll hennes vrist i ett fast grepp och släppte henne först när hon slutat darra. Då vred han på huvudet och såg på henne för första gången sedan de hade lämnat Paris.

"Ja, det är något speciellt med dans."
Resten av färden förflöt under tystnad.

Hon hade aldrig trott att minnena skulle vara så starka, så levande. Det var som om tiden rusat bakåt, som om hon var tillbaka vid den tidpunkt när hon själv kört den här vägen för några veckor sedan. Landskapet hade inte förändrats mycket. Marken sov ännu sin grå vintersömn i väntan på våren. Träden var kala och avlövade. Men hon hade en egendomlig känsla av att hon aldrig hade varit därifrån, att mellantiden bara hade varit en dröm.

En dröm ... drömälskaren ... Hon kände att det hettade i ansiktet och sneglade på Alexei Racine. Han tog ingen notis om henne, var uppenbarligen försjunken i en pocketutgåva av Bram Stokers "Dracula". Framför dem, skild från dem av en rökfärgad glasruta, verkade chauffören lika upptagen av att iaktta vägen. Bakom dem strävade tre stora skåpbilar fullastade med utrustning, skådespelare och filmarbetare. Racine hade själv insisterat på det arrangemanget. Efter att ha vänt upp och ner på beslutsordningen i Londonstudion var han nu den som bestämde. Han och Gemma skulle bo på själva slottet, medan de övriga skulle inkvarteras i Carnac. Gemma hade varit nära att nämna sin stuga, men av någon anledning hade hon avstått.

Hon såg sig om genom bakrutan. Landskapet blev mer bekant för varje kilometer de lade bakom sig. Hon kände igen kyrktornet en bit från vägen, och en ful bensinmack med vidhängande kafé.

Det var ju hans mark, hans land – här bodde hennes anonyme drömälskare, mannen som två gånger hade tagit henne och efterlämnat sitt brännande avtryck på hennes kropp, en gång i den mörka forngraven och sedan än en gång i skuggan av det gamla kärntornet på Chateau Marais. Tagit henne med en utplånande, sensuell vildhet som fört henne till den totala sinnlighetens gräns ... tagit henne utan ord.

Plötsligt föreföll han mer verklig än någonsin, och den gångna månadens slitsamma vardag syntes drömlik och overklig. Hur hade hon kunnat återvända till London och arbetet utan att inse att hon var i grunden förändrad?

Hon hade knappt ägnat honom en tanke sedan hon lämnat Bretagne, begravt sig i arbete, distraherats av Racine ... Men var det verkligen sant? Hennes kropp mindes honom, mindes den mörka hettan, den smygande elden, begäret, orgasmens renande urladdning under hans mun och händer.

Nästan smärtsamt klart kunde hon erinra sig varje detalj hos honom, varje rörelse han gjort. Hans varliga och grymma tunga, ömsom mjuk och värmande, ömsom som ett dolkstyng djupt in i hennes mun. Hur hon hade kommit honom till mötes med blodet sjudande av åtrå. Hans händers varsamma utforskande av hennes kropp, hur de hade glidit över hennes axlar, snuddat vid bröstvårtornas spetsar ... det hårda greppet om hennes vrister när han fört sina läppar till hennes kön, den sträva kittlingen när han slickat hennes klitoris ... Den hårda tungan som borrat sig djupt in i henne.

Ja, hon kom ihåg varenda detalj.

Hur han hade ägnat sig åt hennes bröstvårtor, sugit på den ena så intensivt att det nästan gjort ont medan han knådat den andra tills brösten svullnat och vårtorna styvnat, hur varje förnimmelse koncentrerats till hans heta, sugande mun, hur den pulserande glöden i bröstvårtorna hade banat sig ner till skrevet och sedan exploderat.

Hur han till slut hade trängt in i henne, bedövat henne med den första häftiga stöten, drivit henne

133

från vett och sans på forngravens hårdpackade jordgolv.

Hon mindes också hur han hade kommit till henne igen på nyårsfesten i Chateau Marais, hur han hade tagit henne bakifrån, funnit stigen mellan hennes två öppningar och låtit den långa, hårda staken smeka den med en djup och sinnlig frenesi som stimulerat henne till en våldsam orgasm.

Och nu återvände hon till platsen ... brottsplatsen? Bredvid henne småskrattade Racine, ett ganska kusligt ljud som väckte henne ur dagdrömmarna. Men när hon vände sig mot honom ryckte han bara på axlarna och ägnade sig åt sin bok.

Skulle han hitta henne igen? Hon funderade på saken. Hade det varit enbart ett bisarrt, erotiskt sammanträffande att han kommit till henne i skuggan under kärntornet, eller hade han följt efter henne, vetat var han skulle finna henne? Men hon måste ha varit oigenkännlig i den svarta kattdräkten av läder. Hade det verkligen varit samme man? Det var en ny, oroande tanke.

För första gången slog det henne att det vore möjligt att spåra upp honom, försöka uppdaga vem han var. Han måste ha varit gäst på partyt, måste ha bott i trakten eftersom han befunnit sig vid graven den första natten. Men ville hon verkligen veta vem han var?

Svaret kom till henne, snabbt och instinktivt: Ja! Att inte veta föreföll henne plötsligt otänkbart.

Bilarna bakom dem svängde av mot Carnac, men Gemma märkte det knappt. Hon glömde personalen, glömde filmen, glömde till och med Alexei Racine bredvid sig när den täta skogen kom i sikte. Dold bland träden väntade forngraven, jägarens hem, med den ristade bilden av en krigare vars vapen var spjutet, vars tomma, trekantiga ansikte hade bevittnat hennes vanvettiga parningsakt med en ansiktslös älskare.

Och sedan dök slottet upp, den eleganta renässansfasaden, det fallfärdiga, urgamla tornet, en syn så välbekant som om hon alltid hade känt till den.

"Jaha, då var det dags", sa Racine när limousinen stannade framför den massiva stentrappan.

Chauffören höll upp bildörren, och när Gemma steg ut såg hon att slottets enorma portar stod öppna. En vithårig, medelålders man i strikt butleruniform kom skyndande nerför trappan för att ta emot dem.

"Monsieur Racine, välkommen tillbaka! Och miss de la Mare, välkommen! Greven beklagar att han inte är här och kan ta emot er personligen ..."

"Greven?" upprepade Gemma förvånat.

"Leo, greve Marais", förklarade Racine i en snabb viskning.

"Men ni träffar honom vid middagen", fortsatte mannen. "Nu ska jag visa er till era rum. Gick resan bra?"

Han bjöd dem att fortsätta uppför trappan och in i hallen.

"Utan problem", svarade Racine. "Och ni, Henri, hur står det till med er?"

"Bara bra, sir. Ni får bo i västra flygeln den här gången, inte i er vanliga svit. Den här vägen."

De två männen pratade vidare medan Gemma försökte få rätsida på vad hon nyss hört. Inte den vanliga sviten? Det måste betyda att Racine var en ofta sedd besökare i slottet och kände till det väl. Vilket förklarade att han varit så villig att godta hennes förslag på inspelningsplats. Men hade han inte sagt att han bara var ytligt bekant med Leo Marais?

De gick genom en vidsträckt korridor som Gemma inte kände igen. Väggarna var utsirade och förgyllda, och längs ena sidan löpte en rad fönster från golvet till det välvda taket. På ömse sidor om varje fönster satt vägglampor av kristall som spred ett gyllene sken över de inbjudande grupperna av snidade bord och pösiga små kanapéer. Gemma hade inte glömt hur överväldigande påkostat slottet var, men hon blev ändå överraskad när de passerade vitrinskåp med något som såg ut som kollektioner av Fabergéägg, orientalisk netsuke, viktorianskt silver, romerskt glas, Staffordshire-keramik ... Hon skakade klentroget på huvudet.

"Jag hoppas att allt ska vara till belåtenhet", sa mannen med en gest mot en dubbeldörr. "Det är bara att ringa om ni önskar något."

Han drog sig tillbaka när Racine slog upp dörrarna. Förvirrad öppnade Gemma munnen för att fråga om sitt rum – hon förväntades väl inte sova hos Racine? – men så hejdade hon sig och kippade efter andan.

Det var nästan helt mörkt i rummet. När hennes ögon vant sig vid dunklet ryste hon till.

Ett dämpat, lite kusligt sken från svarta vägglampor av metall kastade sällsamma skuggor över väggarna. Tjocka, svarta sammetsgardiner, broderade med svart silke, dolde fönstren. En tät, svart matta täckte golvet. Allt var svart, en omslutande, ominös, svart sammetsfamn.

Mitt i rummet, på en upphöjd platå, skymtade hon något blekt. Hon vred på huvudet och såg en kista med guldhandtag som glimmade matt i halvmörkret. Locket var öppet och avslöjade vit satängstoppning. En dolk satt instucken i den vita satängkudden.

Rummet tycktes snurra för hennes ögon, och hon kvävde ett skrik.

"Åh, den där Leo", skrockade Racine. "Han har humor som en skolpojke."

Han gick fram till kistan och drog ut dolken. Ett papper fladdrade till golvet. "Han hoppas att vi ska bli inspirerade av vardagsrummet. Din svit gränsar till min."

"Mycket lustigt", sa Gemma bistert.

Inte förrän långt senare, när hon låg i ett stort badkar med lejontassar och kranar som såg ut att vara av rent guld, brast hon i skratt.

"Faktiskt riktigt lustigt", sa hon några timmar senare och menade det nästan. De stod runt kistan, Gemma, Alexei, Leo och Gabrielle, och tog en drink före middagen. En vagn hade rullats in med champagne i en ishink, och tjocka svarta ljus i tunga silverstakar värmde rummet med ett mjukt, gult sken.

"Det var väl Sarah Bernhardt som brukade sova i en kista?" sa Gabrielle. Hon såg fantastisk ut i en bronsbrun cocktailklänning av siden, dramatiskt urringad både fram och bak så att den framhävde såväl ryggen som de höga, spetsiga brösten. Det syntes att hon inte hade någon behå på sig. Det svarta håret var uppsatt i en lös knut, och långa, snirkliga guldörhängen glittrade i ljuset så fort hon rörde sig.

Hon såg mycket chic och sofistikerad ut, och bredvid henne kände sig Gemma slarvigt klädd i sina jeans och den mjuka, marinblå tröjan. Hon hade packat med tanke på en filminspelning, varma och förnuftiga plagg som jeans och tröjor, och det ångrade hon just nu.

"En egendomlig nyck", anmärkte Leo och fyllde på sitt glas. Han och Alexei drack whisky och Gemma och Gabrielle champagne.

"Ganska tilltalande, faktiskt", sa Racine och drog fingrarna utmed den vita satängkudden.

"Brr!" Gabrielle ryste demonstrativt.

De åt middag i en sal så jättelik att det stora bordet nästan försvann i den. Till Gemmas häpnad var det dukat med guldtallrikar och en imponerande uppsättning bordssilver och gnistrande kristall som återkastade ljuset från prismorna i kristallkronan över bordet. Uniformerad personal serverade från fat med rökt lax och gåsleverpastej. Det vita vinet var friskt och blommigt, och Gemma upptäckte att hon drack lite för fort, ovan som hon var vid ett sådant överdåd. Magnifika gobelänger täckte väggarna med bilder av en medeltida jakt. Mitt framför sig hade hon en stupad hjort med ett spjut genom strupen och det gröna gräset fläckat av rubinrött blod. Snabbt tittade hon bort och mötte Leos blick.

"Du är visst inte så förtjust i jaktscener?" frågade han när han märkte hennes avsmak.

"Inte vid matbordet i alla fall", erkände hon och tog en bit pastej. Den hade en len och fyllig smak och tycktes smälta mot gommen.

"Intresset för jakt går nog i släkten", sa Leo och smuttade på vinet. "Slottet är fullt av jaktscener av alla de slag. Mina förfäder ville väl hedra ortens ande."

"Vilken ande?" frågade Gemma.

"Jägaren", förklarade Leo. "Den förhistoriska ristningen på forngravens vägg. En imponerande gestalt. Mina förfäder praktiskt taget adopterade honom."

"J-ja, den känner jag till", stammade Gemma.

"Naturligtvis gör du det", instämde han. "Den ligger inte långt från de gamla stallbyggnaderna."

Det var den första antydning han gett om att han visste att hon hade köpt den lilla stugan, men han verkade ovillig att dröja vid ämnet.

"Den där graven var mitt favoritgömställe när jag var liten", fortsatte han. "Jag kunde sitta i timtal där inne och låtsas att jag var krigarprinsen, jägaren, och att graven var min domän. En sällsam plats, särskilt nattetid."

Han såg rakt på henne medan han talade, och hon kände hjärtat bulta. En sällsam plats ... särskilt nattetid ... Orden ringde i öronen på henne. Var det en anmärkning i förbigående eller en subtil antydning? Var det möjligt? Kunde Leo Marais vara hennes drömälskare?

Hon drack mer vin och granskade honom tvärs över bordet, försökte tänka sig hans kropp mot sin, sökte något tecken, någon ledtråd. Hon såg honom lyfta glaset till läpparna. Hans händer var stora och välformade, stora nog för att ha kunnat omsluta hennes vrister medan han begravde ansiktet mellan hennes lår, starka nog att ha kunnat hålla henne i ett järngrepp medan han erövrade hennes darrande kropp med sin mun.

Men han hade en ring på fingret, en stor signetring av guld. Hon skulle ha kommit ihåg om den hade grävt sig in i hennes skinn ... Eller kanske inte.

Hans stämma var mjuk och fyllig och liknade inte alls den sträva, raspande röst hon mindes. Men ekot i gravkammaren kunde förstås ha förvrängt ljudet. Och hur många ord hade han sagt? Tre? Fyra?

Den tanken fick henne att flytta blicken till hans mun. Den var fast och välformad med ganska tunna läppar. Omöjligt att avgöra om det var den munnen som hade kysst henne med sådan förintande sinnlighet, glidit över hennes kropp, smekt det hemliga, fuktiga hullet mellan hennes lår.

Minnet av hans kropp var inetsat i henne, och ändå hade hon ingen aning om hur han såg ut, bara ett intryck av styrka och kraft, av en kropp som var smärt, fast och vältränad.

Hon hade tappat tråden i samtalet. När hon tittade upp hade Gabrielle lagt beslag på Leos uppmärksamhet, och Racine iakttog Gemma med ironisk blick.

Hon koncentrerade sig på att bete sig normalt, pressade citron över laxen och spetsade en trind kapris på gaffeln. Hon log medan förrätten plockades bort och ersattes av en sorbet på passionsfrukt, vilken följdes av hjortstek i körsbärssås. Hon drack rosévinet som serverades till varmrätten, log och nickade och låtsades lyssna intresserat och uppmärksamt, fastän hon var medveten om att Racine inte lät sig luras. Då och då såg hon att hans blick gled över henne helt kort, som en sarkastisk anmärkning. Hon undvek hans ögon och blev lättad när Gabrielle gav honom något annat att tänka på genom att fråga om symboliken i hans senaste film.

Samtalet borde ha fängslat henne, men hon var märkligt likgiltig. Rosévinet byttes ut mot en aromatisk Barsac, som serverades till spröda maränger fyllda med kastanjepuré och vispgrädde. Hon petade bara i desserten och ägnade sig i stället åt vinet, vagt medveten om att hon drack för mycket och förvånad över att hon ändå kände sig så iskallt nykter.

Hon erfor en krypande spänning, en dunkel övertygelse om att någonting väntade, att något skulle hända. Det var en irrationell föraning som kanske kunde suddas ut eller åtminstone dämpas av ett litet glas för mycket.

Så hon tackade inte nej till portvinet som anlände tillsammans med frukten och osten. Det var tjockt och sött och glödde som rubiner under det mångfördelade ljuset från kristallkronan.

Hon såg Leo hantera sitt glas med långa fingrar, smeka foten på den spröda Baccaratkristallen, och hon undrade på nytt om det var hans händer som hade makat ner henne på det hårdpackade jordgolvet i forngraven, och befriat hennes upphettade hud från det svarta läderfodralet på nyårsnatten.

Racine lekte också med sitt glas, vred på det och beundrade det rubinröda vinet. I Gemmas ögon såg det ut som om ljuset bestänkte hans händer med blod.

"Skuggan är förstås allt, där illusionen har mer substans än verkligheten, det klärobskyra i det psykologiska landskapet", sa han till Gabrielle som såg helt fängslad ut.

Leo gäspade. "Film tråkar ut mig", erkände han utan omsvep för Gemma och hällde upp mer vin åt dem båda medan han avfärdade serveringspersonalen med en loj åtbörd.

Hennes leende var en smula avvaktande. Hon kunde givetvis inte instämma utan svarade bara med en till intet förpliktande axelryckning. Sedan blev hon också tvungen att kväva en gäspning.

"Du är visst trött?" sa Leo omtänksamt. "Det är en ansträngande resa."

"Lite grann", medgav hon. Vinet hade gjort henne behagligt avslappnad.

"Jag kan följa dig till ditt rum", erbjöd han sig genast. "Gabrielle och Alexei är visst fullt upptagna, och jag måste erkänna att jag blir uttråkad när han sätter i gång med sitt psykologiska inre landskap."

Han reste sig och bjöd henne armen. Hon kastade en blick på Racine och Gabrielle, vilket Leo uppfattade.

"Gemma är trött", förklarade han. "Jag visar henne till hennes rum och kommer tillbaka sedan."

Gabrielle stelnade till för ett ögonblick och ögonen smalnade till springor. Men så gott som omedelbart återtog de sin normala form och hennes hållning blev mer avspänd. Hon såg på dem båda med ett varmt

141

leende på sina blodröda läppar, räckte Gemma handen och sa:

"Naturligtvis, Leo. Jag har nog varit självisk, men det är så roligt att få tala med ett filmgeni som Alexei. Sov så gott, Gemma."

Racine nickade, gav Gemma en genomträngande blick ur sina blekgrå ögon och vände sig därefter mot Gabrielle igen.

Tankarna virvlade runt i huvudet på Gemma när hon följde med Leo ut ur matsalen. Hans ena hand vilade nästan omärkligt mot hennes korsrygg när han förde henne ut genom en sidodörr och vidare längs en smal korridor. Efter matsalens kejserligt förgyllda elegans gjorde korridoren ett varmt och inbjudande intryck. Tjocka kinesiska mattor dämpade deras steg, och dolda lampor lyste upp en storslagen men skärande disharmonisk uppsättning av tryck, sidenskärmar och oljemålningar. Gemma hann urskilja ett stilleben av Caravaggio bredvid ett porträtt som omisskännligen var av van Gogh, en kanalscen av Tintoretto intill en burk Campbellsoppa av Andy Warhol och något som var misstänkt likt en Rembrandt. Men efter det började alla synintryck flyta ihop till ett sammelsurium av former och färger, och det enda hon upplevde riktigt tydligt var närheten till Leos kropp.

Hon var starkt medveten om honom, om doften från hans dyra rakvatten, hans sätt att anpassa sina steg till hennes, hans frustrerande lätta beröring.

Detta var rätta stunden för ett avslöjande, utom syn- och hörhåll från Racine och den vackra Gabrielle, som utan tvivel var Leos älskarinna. Lekte han med henne, eller hade hans kommentarer vid middagen inte betytt någonting?

"Den här vägen", sa han och styrde henne åt höger.

Gemma följde lydigt med. "Slottet är så stort att man blir förvirrad."

"Det är det faktiskt. Som barn gick jag ofta vilse här och drev mina lärare till vanvett."

"Som barn?" sa hon intresserat och tänkte på det han sagt tidigare om att han brukat gömma sig i forn-graven.

"Det kan till och med hända nu för tiden", sa han. "Det finns många intressanta sätt att villa bort sig här i trakten."

Fanns det en undermening i den repliken, eller var det bara som hon inbillade sig? De kom in i en ny korri-dor, tapetserad med gobelänger, och sedan ytterligare en, utan fönster, vitmenad och stram, där färgsprakan-de målningar lyste upp väggarna, en solnedgång, en soluppgång, ett havslandskap så naturtroget att hon nästan väntade sig att känna vattenstänk i ansiktet. Ännu en oväntad krök, och så var de framme vid dör-ren till hennes svit. Hon vände sig mot Leo med alla sinnen på helspänn.

Under tystnad betraktade de varandra.

Hon såg en man, lång och smärt, med breda axlar och slanka höfter. Den vita skjortan var öppen i halsen och blottade övre delen av bröstet. Leo, greve Marais, ägare till detta enorma och lyxigt bisarra slott, god vän till Alexei Racine, älskare till Gabrielle; hennes värd som hade visat henne artigheten att själv följa henne till hennes rum. Var Leo Marais hennes drömälskare?

Han såg en kvinna, slank och fräsch, med silver-blont hår bakåtstruket från ansiktet, höga kindben och mörkblå ögon. I motsats till Gabrielle med sin utstuderat välansade elegans verkade Gemma nästan omedvetet utmanande. Hon hade dolt sina kurvor un-der en lång, mörkblå tröja som gick i färg med hennes ögon. Men han anade spänningen hos henne och undrade vad den kom sig av, innan han plötsligt erinrade sig de gåtfulla ord som Racine yttrat när han ringt från London.

De var starkt medvetna om varandra, den sortens outtalade, förstulet värderande medvetenhet som mellan en man och en kvinna brukar vara ett förstadium till fysisk attraktion.

Han böjde sig över hennes hand och inskränkte sig helt korrekt till att bara markera en kyss i luften. Men hon kände hans andedräkt mot huden som en het pust, och gesten var faktiskt mer intim än om han verkligen hade rört vid henne med sina läppar.

Med sitt förnuft väntade hon febrilt på någon gest, något avslöjande ord eller tecken, medan hennes kropp instinktivt gav gensvar på det underförstådda löftet i den markerade handkyssen.

Där de stod ensamma i den tysta korridoren utanför hennes rum, översköljda av varmt ljus från kristallkronor och förgyllda väggar, var allting möjligt. Gemma kände sig yr, vimmelkantig, både av vinet och av den berusande känslan av fysisk förväntan. Skulle han ta i henne? Skulle han kyssa henne? Skulle han avslöja sig för henne?

Med skärpta sinnen såg hon ner på hans huvud som var böjt över hennes hand. Det tjocka, blanka, mörka håret lockade sig över den vita skjortkragen, och hon skymtade hans kropps eleganta linjer. Hon kunde föreställa sig honom naken, såg för sig hans böljande ryggmuskler, hans erigerade penis, och hon andades snabbare.

Smått andlös stod hon orörlig när han rätade upp sig och tog ett steg tillbaka. Hennes hand föll slappt ner till sidan, och hon väntade spänt.

Men han rörde sig inte. Tystnaden förtätades. Hans blick var hungrig men samtidigt förbryllad när den spelade över henne, dröjde vid ansiktet, brösten, låren. När han till slut böjde sig mot henne beredde hon sig på att få känna den betvingande kraften hos hans mun och kropp. Hon väntade sig att han skulle ta henne där hon stod, med ryggen tryckt mot dörrens snidade trä, som kändes lika hårt som jordgolvet i forngraven.

Hennes kropp hade blivit mjuk och foglig, het och slapp av förväntan, nästan reflexmässigt stimulerad av närheten till honom. När hans ansikte närmade sig hennes slöt hon ögonen.

Hon kände hans läppar snudda lätt vid först den ena kinden, sedan den andra. Och strax därpå en sorts ihålig tomhet i luften som betydde att hon var ensam.

Leo gick tillbaka genom korridoren, för en gångs skull blind för de bjärt lysande målningarna på väggarna, och önskade att han hade haft en cigarr. En god kubansk cigarr, ett glas fin konjak och en bra förklaring.

Alexeis ord ringde i öronen på honom. "Du får gärna utöva din *droit de seigneur* och bistå mig i den här mycket komplicerade förförelseplanen."

Men han hade inte gjort det. Inte för att hon inte var åtråvärd, och inte för att han inte hade åtrått henne. Få män skulle ha kunnat motstå det där mjuka, silverblonda håret, de djupa, havsblå ögonen, den halvöppna munnen som tiggt om att bli kysst, den skälvande hettan som hade dragit hans kropp mot hennes.

Men han hade tvekat och gått därifrån. Han kunde för sitt liv inte begripa varför. Det var som om han känt en vag olust, en dunkel föraning. I tankarna försökte han redogöra för anledningen.

Berodde det på att Alexei hade varit så ovanligt envis, lika envis som med Rodin-skulpturen för några veckor sedan? Leo älskade Alexei som en bror, eller som han föreställde sig att bröder älskade varandra – han hade inga syskon. Men han litade inte på honom. Ingen litade på Alexei. Han var för subtil, för komplicerad, för svårbegriplig.

Och nu var han ensam med Gabrielle. Den tanken fick Leo att tvärstanna framför en fin Seurat. Svartsjuka låg inte för honom; omständigheterna kring hans födelse hade praktiskt taget eliminerat impulsen till avund eller ägandebegär. Att Alexei var den slugare och mer skarpsinniga av dem accepterade han utan vidare. Det var egenskaper som hans eget oförvitliga stamträd, hans enorma förmögenhet och avundsvärda fysik gjorde överflödiga och nästan en aning *déclassé*.

Han vände sig bort från Seurat-tavlan. Självrannsakelse var inte en av hans favoritsysselsättningar. Han avskydde det hos andra och ägnade sig sällan åt det för egen del. Men han gick i alla fall tystare när han närmade sig matsalen och stannade till innan han steg in.

Alexei och Gabrielle hade lämnat bordet och stod vid ett fönster med utsikt över den vintriga trädgården. Leo stod orörlig, ovillig att bryta den sanne konstkännarens uppskattning av skönheten i scenen.

Hon var mindre än Alexei, och i hans armar såg hon spröd och bräcklig ut. Hennes huvud var bakåtlutat och Leo såg en åder pulsera på hennes hals, såg hur vinet – eller eggelsen? – hade fått hennes elfenbensvita hy att rodna.

Alexei omfamnade henne bakifrån och handflatorna vilade lätt mot hennes kropp, alldeles under bröstens kurva. Han böjde ner ansiktet mot hennes blottade strupe. Även på detta avstånd hörde Leo deras röster, hörde Gabrielles låga, pärlande skratt.

Såväl inrotad uppfostran som den franska uppfattningen om god ton – ibland kallad *politesse* men oftare

146

ett namnlöst begrepp nära besläktat med det japanska "bevara ansiktet" – förmådde honom att verka fullständigt oberörd när han fortsatte in i rummet.

Oberörd verkade också Alexei när han tog till orda utan att ta händerna från Gabrielle, utan att lyfta blicken från hennes vita hals. "Där är du ju, Leo. Jag skulle just demonstrera vampyrens lockelse för Gabrielle. Förstår du?"

Och så sänkte han huvudet över den pulserande ådern och satte tänderna i den vita huden.

Det var ett lekfullt nafs, inte hårt nog för att det skulle börja blöda, eller ens bli ett märke.

"Visst, det är klart", sa Leo. Jaså, tänkte han utan att förstå varför, den första droppen blod har redan spillts. Men vems blod?

"Alexei har förklarat för mig hur kameran ser på kroppar", sa Gabrielle och lösgjorde sig elegant ur hans famn, utan minsta tecken på förlägenhet. "Och hur man fångar de psykologiska nyanserna genom olika poser."

"Verkligen", sa Leo och hällde upp mer portvin åt sig. Glöden i hennes ögon undgick honom inte, inte heller det uttryck av otillfredsställd lusta som hastigt gled över Alexeis ansikte.

I en himmelssäng med röda sammetsomhängen, som en gång hade tillhört kejsarinnan Josephine, vred sig Gemma rastlöst. Sömnen kom och gick, slöt sig om henne för att plötsligt förjagas av någon förflugen tanke som fick henne att rycka till och bli klarvaken. Morgondagens inspelningsplats ... forngraven i skogen ... hennes stuga ... den heta, förväntansfulla längtan hon hade känt när Leo Marais följt henne till rummet. Medvetandet klarnade och blev sedan suddigt igen.

147

Men kroppens långsamma, hemliga pulsslag väntade på stimulans, väntade på något som kunde lindra den förhöjda sensuella medvetenhet hon känt ända sedan återkomsten till slottet, ända sedan hon hade skymtat skogen med forngraven genom limousinens färgade rutor. Hon skruvade oroligt på sig, drog en av dunkuddarna intill sig och kramade den som en älskare.

Till slut somnade hon och drömde att han kom till henne, höll henne i ett järngrepp, smälte samman sin kropp med hennes. Men hans ansikte låg i skugga.

Och hon kämpade ursinnigt, klöste mot honom, mot skuggorna som skymde hans ansikte, vred sig och bet och slogs fruktlöst när han trängde in i henne, präntade in sin kropp i hennes, fick henne att sluta sig om honom med en het och primitiv lust som dränkte alla tankar.

Han tvingade henne att möta hans fordrande stötar och följa hans höfters obevekliga rytm, tryckte sig hårt mot henne, in i henne, gjorde hennes våt och kättjefull mot hennes vilja. Han var starkare än hon, hårdare, mer betvingande, fick utan möda övertaget i den ojämna kraftmätningen.

Hon vaknade när orgasmens kittlande våg sköt som en eld genom henne. Hon var varm och svettig och lakanen låg hopsnodda mellan låren. En stund låg hon stilla och kände chocken sjunka undan, upplevde känselminnet av en fantasiälskare, en demonälskare, en drömälskare som inte existerade. De pirrande vågorna avtog, blev mjukare, mer dämpade. Då andades hon ut, rullade över mot sängkanten och trevade efter lampan på sängbordet. Först fick hon tag i den tjocka guldsnodden som höll omhängena fasta vid sängstolpen. Sedan famlade hon vidare i dunklet.

Hon kom ihåg hur lampan såg ut: en spröd, förgylld skapelse med kristallprismor som stod mitt på det intrikat utsirade bordet. Lite mer till vänster, avgjorde hon och makade sig längre ut på sängkanten.

Plötsligt grep någon hårt om hennes arm, och hon knuffades framstupa ner på den svällande madrassen. En stor hand lades över hennes mun och skar av hennes instinktiva skrik. Ett frasande hördes från sängomhängena, och hon omgavs av ett ogenomträngligt mörker.

Hon kämpade emot och slog ifrån sig med händerna, men de fångades genast som i ett skruvstäd. Hon bockade och vred sig mot en kropp som var oändligt mycket starkare än hennes. Det var som i hennes dröm men ändå inte. En överväldigande känsla av *déjà vu* blandade sig med vrede.

"Sluta."

Hon kände igen den sträva viskningen som en gång hade ekat mellan de trånga väggarna i den underjordiska forngraven. Det var hans röst, omisskännlig, oförglömlig. Helt plötsligt blev hon rasande. Hon kastade sig av och an, försökte bita handen som pressades mot hennes mun men kunde knappt röra sig under hans kroppstyngd. Han tryckte ner hennes ansikte mot sängen. Hon uppbådade alla sina krafter för att kämpa emot och blev alldeles andfådd. Luften inne i sängens sammetsomslutna kokong kändes tjock och tung.

Lakanen trasslade sig om hennes lår och halkade ner så att underlivet blottlades, och när hon kastade sig under honom stötte hennes nakna stjärt mot hans skrev. Hon kände hans erektion mot huden och stelnade till.

"Inte en gång till", sa hon mot hans hand. "Inte så här. Jag måste få veta. Leo?"

Han kunde inte ha hört det, men han måste ha känt att hon sa något. Han tog handen från hennes mun bara tillräckligt för att låta henne tala.

149

Hon drog ner luft i lungorna och andades djupt ett par gånger innan hon upprepade: "Inte så här. Jag måste få veta. Leo?"

Hennes röst var bara en kvävd viskning.

Svaret var så gutturalt och korthugget att hon inte hörde om han sa "Leo" eller "nej".

Och sedan återvände hans hand till hennes mun, varsammare nu, och slöt till hennes läppar. Uppretad försökte hon vrida sig mot honom för att komma åt att se hans ansikte, men rörelsen pressade henne hårt mot hans underkropp, och hon kände honom glida in mellan hennes lår och vidare in i henne utan att möta något motstånd.

Hon var hal och redo, fortfarande blöt efter sin orgasm i drömmen, och upphetsad av den tysta maktkamp som hade fört henne så intimt nära hans kropp.

Ändå fortsatte hon att kämpa emot. Hennes försök att kasta honom av sig, att komma loss, ledde bara till att han trängde allt djupare in i henne. Hon visste inte själv när förändringen ägde rum, när vreden blev till lidelse, när hennes ursinniga kast med underlivet mot hans hårda lår började framkallas av brinnande åtrå snarare än raseri.

Det var en snabb och frenetisk parningsakt, och hennes orgasm sköt som en blixt genom kroppen. Han bet henne i nacken när hon kom, som en hingst som håller fast ett sto, och hon kände att han darrade av upphetsning.

Hans hand vilade fortfarande mot hennes mun. Hon skulle kunna bita honom. Ja, det var precis vad hon skulle göra. Sarga honom med sina tänder, sätta ett outplånligt tecken på honom, så att han när dagsljuset och vettet återvände skulle bära hennes märke. Hon hade nästan uppbådat den energi som krävdes när hans hand slöt sig hårt över hennes mun igen.

"Tänk på Kupido, min lilla Psyche, och tänk om", sa den sträva viskningen.

Kupido? Psyche? Det gick runt i huvudet på henne, och hon tänkte på Alla hjärtans dagkortens bilder av knubbiga små amoriner med pilbågar och belåtet flinande munnar. Hon erinrade sig också en halvt bortglömd illustration i en skolbok, av en bevingad gud som satt och såg arg ut bredvid en säng där det låg en halvnaken kvinna med ett ljus i handen. Sedan kände hon den sorgset ljuva smärtan när han drog sig ur henne. Hon suckade, andades djupt och drog in en märklig, obekant, aromatisk doft som fick henne att slockna nästan omedelbart.

7

När Gemma slog upp ögonen på morgonen var det mörkt som mitt i natten. Ändå var hon klarvaken och kände sig utsövd. Hon gäspade och sträckte på sig. Ena handen kom åt det tjocka sammetsomhänget kring sängen, och då mindes hon.

Först rynkade hon pannan, men sedan log hon. Hon ålade sig över till kanten av den stora sängen och gläntade på omhängena. Blekgrått ljus silade in genom fönstren, och ormoluklockan på sängbordet visade på åtta.

Med ett tankfullt uttryck i ansiktet gjorde hon sin morgontoalett i det skinande vita badrummet, utan att ens lägga märke till den lyxiga inredningen med kranar utformade som delfiner av solitt guld.

Hon duschade, tvättade håret och lindade en stor, fluffig handduk om sig. Sedan borstade hon tänderna och började lägga en diskret makeup. Plötsligt såg hon mer noga på sin spegelbild och lade ifrån sig tuben med grundkräm. Hennes hy hade en fräsch lyster och ögonen var klara. Hon såg ut som om hon just hade lämnat en älskares famntag ... vilket hon på sätt och vis hade gjort också.

Hon log mot spegeln, och hennes bild log tillbaka i samförstånd, som om de delade en delikat, ganska vågad hemlighet. Hon kunde inte förklara varför hon kände sig så lätt om hjärtat, nästan upprymd.

Efter att ha låtit handduken falla synade hon sin nakna kropp i spegeln. En annan morgon, mindes hon, hade åsynen av ett rött, halvmånformat bettmärke på bröstet sänt vitglödgade flammor av lusta igenom henne. Men nu var hennes bröst omärkta, fria från varje spår av passion.

Han hade inte rört henne där, hade inte kysst eller bitit eller sugit på hennes bröstvårtor, hade nätt och jämnt tagit i hennes kropp innan han trängt in i henne. Hennes hand gick till grenen och fingrade på venusbergets gyllene hår.

Han hade hittat henne, kommit till henne, tagit henne. Innan hon hunnit märka honom, innan hon hunnit sätta tänderna i handen som täckt hennes mun och kvävt hennes skrik.

Kupido och Psyche. Hans anspelning på denna myt var fullt begriplig nu i det kyliga dagsljuset.

En gud hade förälskat sig i en dödlig och besökt henne i skydd av mörkret för att inte förblinda henne med sin gudomliga skönhet. Men Psyche ville veta vem hennes drömälskare var, och när han somnat hade hon tänt ett ljus för att lysa på hans anletsdrag. Då hade en vaxdroppe fallit på gudens armar och förvandlat dem till vingar ... och han hade vaknat.

Hade Psyche dukat under vid åsynen av sin odödlige älskares bländande skönhet? Det kom inte Gemma ihåg. Och det spelade knappast någon roll.

Automatiskt lyfte hon händerna till håret, men knappt hade hon börjat tvinna det till en fiskarfläta förrän hon ändrade sig och borstade ut det igen, lät det falla i lösa vågor över ryggen.

I sovrummet klädde hon sig snabbt i jeans och lågklackade, mjuka mockaskor i matt mullbärsrött, samma färg som på kashmirtröjan. Om halsen knöt hon en scarf, mönstrad i blått och purpur, malva och guld, och sedan var hon klar.

Han skulle hitta henne igen – eller hon kanske skulle hitta honom.

Men just nu var hennes kropp mätt på kärlek. Den sjöd av liv och vitalitet efter en väl använd natt och hungrade bara efter mat. Hon var alldeles utsvulten.

En knubbig, leende flicka i svart uniform fann henne där hon irrade omkring i korridoren och visade henne till ett inglasat orangeri. Gemma hejdade sig i dörren. Det var som om hon stod i begrepp att stiga in i en tropisk regnskog, frodig och fuktig. Lummiga lövträd reste sig mot taket, behängda med rankor och slingerväxter. Orkidéer kikade fram ur sjok av mossa, och vart hon vände sig såg hon ett överflöd av exotiska blommor i lysande färger. På avstånd hördes ljudet av plaskande fontäner och fågelkvitter.

Husan förde henne till ett stort, runt bord med vit linneduk, dukat till frukost. Gabrielle satt redan där i en av de djupa, vita korgstolarna och smuttade på en kopp kaffe. Hon var klädd i en skräddarsydd, eldröd tunika och snäva byxor, och läppar och naglar var målade i samma röda nyans. Hennes korpsvarta hår låg i en tjock fläta över ena axeln. Hon tycktes höra hemma i den exotiska miljön.

"God morgon, Gemma", sa Gabrielle med sin lätta franska accent. "Du ser ... utvilad ut." För en sekund var hennes ögon skarpa och forskande. "Kom och sätt dig. Marie hämtar vad du än vill ha."

"Kaffe, tack, och juice, och bacon och ägg om det finns", svarade Gemma och tog plats i en av korgstolarna. De hade mjuka, färgstarka dynor i violett, rött och grönt och var förvånansvärt bekväma. "Och så lite rostat bröd."

155

Husan bröt ut i en lång harang på franska, av vilken Gemma förstod kanske vart tionde ord.

"Hon erbjuder olika slags äggrätter", förklarade Gabrielle med ett lätt överlägset leende. "Äggröra, stekta ägg, löskokta ägg, ägg Bénédictine, omelett. Crêpes, våfflor, korv, frukt, vad du än önskar."

"Äggröra, tack", sa Gemma till husan, som svarade med ännu en ström av ord.

"Bryggkaffe, espresso, cappuccino, koffeinfritt?" översatte Gabrielle.

"Bryggkaffe, tack", sa Gemma.

"Och brödet? Råg, vitt, fullkorn ..."

"Rågbröd blir bra", svarade Gemma alltmer road. "Vilken service!" sa hon till Gabrielle när husan hade gått.

"Nu när hon vet vad du brukar äta kommer du att få det varje morgon, om du inte ber om något annat. Leo vill se till att alla gäster får precis vad de vill ha, och hans personal är ypperlig."

Gabrielle tog en klunk kaffe ur den stora, skålformade kopp som fransmännen föredrar framför muggar och iakttog Gemma över randen.

"Vilket fantastiskt ställe det här är", sa Gemma uppriktigt. "Det var verkligen generöst av Leo att låta oss bo här och använda slottet till filminspelningen."

"Generöst?" sa Gabrielle tankfullt och bröt isär en flagande croissant. "Kanske det."

Och kanske han hade ett annat motiv, tänkte hon och betraktade Gemma mer ingående. Kvinnan var mycket söt, det måste hon erkänna, nästan en skönhet med sitt långa, ljusa hår och sina djupblå ögon. En fransyska skulle förstås ha arrangerat scarfen mer snitsigt, och lagt till ett skärp i avvikande färg, lavendelblå mocka kanske. Men Gemma såg ändå snygg ut.

Är hon Leos typ? undrade Gabrielle. Han hade inte kommit till hennes rum i natt, och hon hade legat vaken i timtal och stirrat på de knubbiga kupiderna och högbröstade nymferna som dansade över det utsirade taket, tänkt på honom, längtat efter honom, undrat om hon hade gjort en felbedömning.

I går kväll hade hon flirtat lite med Racine, av två skäl. För det första för att han faktiskt var tilldragande på ett mörkt, gåtfullt sätt, och för det andra därför att hon ville göra Leo svartsjuk. Men hon hade inte väntat sig att Racine skulle sätta tänderna i hennes hals, och inte heller hade hon väntat sig den starka spänning som genomilat henne vid hans beröring.

Var det möjligt att hennes besatthet av Leo höll på att falna en aning? Så intressant. Hur skulle hon ta reda på det?

"Älskade du med Leo i natt?" frågade hon oberört och hällde upp en påtår åt sig.

Gemma hade just tagit en klunk vatten, och nu satte hon den i halsen.

Gabrielle iakttog henne med ett roat leende i mungiporna. Hon väntade tills Gemma hade hostat färdigt och återtog sedan:

"Jag är bara nyfiken, inte svartsjuk. Åtminstone tror jag inte att jag är svartsjuk. Ah, här kommer Marie med din frukost. Leo har varit min älskare i nästan ett halvår, och han är suverän i sängen. Jag var orolig för att han började tröttna på mig, förstår du."

Gemma mumlade något ohörbart eftersom Gabrielle tycktes vänta sig ett svar, och undrade omtumlad om hon någonsin skulle lära sig att begripa sig på fransmännen. Frånvarande tog hon upp en tung silvergaffel och petade i den luftiga äggröran.

"Det är en rent fysisk affär", sa Gabrielle. "Men vi har det bra tillsammans. Leo är en underbar älskare. Jag kan aldrig säga nej till honom."

Hennes ord fick Gemma att tänka på den mystiske drömälskaren. Vem är han? frågade hon sig på nytt. Jag måste få veta.

"Jag kanske chockerar dig?" Gabrielle lutade sig bakåt i stolen och tände en cigarrett.

"Inte alls", svarade Gemma inte helt sanningsenligt. I själva verket var hon smått chockerad, men mer av Gabrielles rättframma uppriktighet mot en främling än av det hon sa.

"När man har en älskare som får ens kropp att brinna, som väcker begär i en som man aldrig förr har känt ... ja, då är han en mycket speciell man", fortsatte Gabrielle eftertänksamt. "För mig är Leo en sådan man. Men om han börjar bli uttråkad och tänker göra slut, måste jag göra det först. Eller hitta på ett sätt att friska upp hans intresse, tills jag själv börjar tröttna. Ett riktigt dilemma. Ett som bara en kvinna kan förstå."

"Aha", sa Gemma och sköt undan tallriken. Hennes aptit hade jagats på flykten av den tjocka röken från Gabrielles cigarrett.

"Det var därför jag var nyfiken på om Leo älskade med dig i natt. Förstår du? Det här är en invecklad historia."

"Inte så invecklad som vissa andra", sa Gemma med en suck. "Kan jag få en cigarrett?"

Medan hon rökte och smuttade på sitt kaffe kröp hela den osannolika historien fram. Gabrielle lyssnade uppmärksamt med stora ögon och mumlade uppmuntrande när orden svek Gemma. Hon avbröt henne bara för att be Marie hämta fler cigarretter och en flaska champagne att blanda med den nypressade apelsinjuicen.

"Den här drinken innehåller knappt någon alkohol", försäkrade hon Gemma. "Och en historia som din förtjänar champagne."

Vinet lossade Gemmas tunga ännu mer, och hon anförtrodde Gabrielle varenda dum och meningslös detalj, tills det inte fanns mer att berätta.

"Jaha." Gabrielle fimpade cigarretten och tände omedelbart en ny. "Våra historier tycks gå in i varandra en aning. Din älskare måste vara antingen Leo eller Alexei Racine."

"Racine?" upprepade Gemma skräckslagen. "Omöjligt!"

"Han var på nyårspartyt", framhärdade Gabrielle. "Jag träffade honom och en annan vän till Leo innan vi ... Nå, jag är säker på att jag träffade honom."

"Nej, himmel!" Det kröp i skinnet på Gemma vid blotta tanken, och hon tog en stor klunk champagne.

"Men det intressanta är hemlighetsfullheten. Varför avslöjar han sig inte för dig? Det är någon sorts lek för honom, tror jag."

"Men i vilket syfte?" frågade Gemma.

"Leo har en märklig fantasi", svarade Gabrielle tankfullt. "Men Kupido och Psyche ... Det förstår jag inte. Det kanske är Alexei, för han vet att du avskyr honom."

"Han har själv fått mig att avsky honom! Han har verkligen ansträngt sig. Du anar inte hur äckligt arrogant han har varit, hur ... äsch, strunt i det. Det spelar ingen roll nu."

"Jo, det gör det", sa Gabrielle bestämt. "Vi måste göra upp en plan, arrangera en fälla. Vi vill båda få reda på om Leo är din älskare. Skulle du känna igen honom? Skulle du kunna identifiera honom om du låg med honom igen?"

"Ja", sa Gemma tvärsäkert. "Det skulle jag absolut."

"Om jag hjälper dig, kanske du kan hjälpa mig?" föreslog Gabrielle.

Hon sträckte fram handen, lade den över Gemmas och strök den sakta. Deras blickar möttes.

"Vi måste vara ... påhittiga." Gabrielles pekfinger smekte den känsliga huden mellan Gemmas fingrar.

"Påhittiga?" ekade Gemma, medveten om den plötsliga, sexuella spänningen mellan dem, en laddning som uppstått ur det intima utbytet av förtroenden.

"Ja. Även för mig är det mycket som står på spel. Och jag är beredd att satsa djärvt ... utan hämningar."

Hon lutade sig sakta fram, alltjämt med Gemmas hand i sin, och kysste henne på munnen. Gemma hade halvt om halvt väntat sig något dylikt men satt ändå stel av överraskning. Hon kände doften av Gabrielles exotiska parfym, kände hennes mjuka läppar mot sina, och sedan värmen från den andras tunga som gled in i hennes mun, gjorde ett svep över tänderna och drog sig tillbaka.

Gabrielle rätade på sig. "Vad säger du?"

"Ja", svarade Gemma, nästan mot sin vilja.

"Gabrielle, min kära! Och Gemma! Jag trodde inte att ni skulle vara uppe så tidigt." Det var Leo som just kom in i orangeriet tillsammans med en lång, välbyggd man med brunt hår och bruna ögon. "Gabrielle, du kommer väl ihåg Jay? Gabrielle de Sevigny – Jay Stone."

"Ja, visst kommer jag ihåg dig", sa Gabrielle fullkomligt avspänt och räckte nykomlingen handen. "Vi träffades ju på nyårsafton."

"Jay, det här är Gemma de la Mare, Alexeis producent", fortsatte Leo. "Jay kom hit sent i går kväll."

De hälsade på varandra, och männen tog plats vid bordet. Marie dök upp, och en ganska invecklad diskussion uppstod när Leo ville veta mer om jordgubbarna hon föreslog till frukost. Var de mogna? Var de importerade? Gabrielle tände ännu en cigarrett och gav Gemma ett menande ögonkast.

Det gick runt i huvudet på Gemma. Hon log och småpratade och försökte dölja sin förvirring. Så fort hon kunde ursäktade hon sig och tog till flykten.

Lutad mot satängkudden i den öppna kistan, klädd enbart i en svart morgonrock av siden, låg Alexei Racine och betraktade det fladdrande, ambragula skenet från de två svarta stearinljusen. Filmarbetarna skulle komma tidigt på eftermiddagen, och flera timmar skulle upptas av långtråkiga tekniska detaljer som att sätta upp utrustningen. Sådant kunde tryggt överlämnas åt andra. Vädret var perfekt, grått och mulet. I skymningen skulle skuggorna bli längre.

I fantasin såg han scenen framför sig. De lutande gravstenarna. Det hotfulla tornet. Kvinnan som gick i sömnen genom det spöklika landskapet, ett viljelöst offer för grevens mystiska magnetism.

Naken, övervägde han, eller i den tunna särk som garderobsmästaren föreslagit? Det var så banalt att det skulle kunna fungera. Ljusspelet genom det florstunna tyget, som lät benen skymta och skuggan mellan hennes lår, skulle vara både subtilt och erotiskt. Men naken kanske vore ännu bättre, tänkte han och slöt ögonen. Det bleka skimret av naken hud under grå skyar ...

"Vad i hela friden sysslar du med?"

Gemmas röst, som uttryckte en blandning av häpnad och avsky, avbröt hans drömmerier. Han öppnade ena ögat men slöt det igen.

"Tänker."

"Du ser ..." Hennes röst dog bort. Hon hade tänkt säga att han såg löjlig ut, helt befängd, men så tittade hon närmare efter.

161

Mot den vita kudden avtecknade sig hans långa, mörka hår som polerad onyx. Den svarta sidenrocken glipade över bröstet och avslöjade den täta, lena fällen som blev ännu tätare längre ner. Det gula skenet spelade över hans anletsdrag, framhävde örnnäsan, de djupt liggande ögonen, den sensuellt grymma munnen.

"Du ser befängd ut", avslutade hon bestämt.

Bara en ryckning i läpparna förrådde att han hade hört henne. "Jag ligger och funderar på vilket som gör sig bäst, naken hud eller en genomskinlig, vit särk."

Gemmas kinder hettade. Gabrielles ord ekade i hennes hjärna. "Det måste vara Leo eller Alexei. Han var här på nyårspartyt. Det är jag säker på."

"Jag lutar mest åt nakenheten, tror jag", fortsatte han lojt. "Naken hud, blek och sval, väntande på att bli värmd av den förintande röda hettan, förtärd av demonälskarens glupska, ödesdigra kyss."

Gemma andades fortare och pulsen ökade. Det kunde inte vara möjligt ...

"Men den dumma kossan kommer väl att klaga på att det är för kallt", tillade han, slog upp båda ögonen och reste sig på armbågen. "Det finns väl ingen nakenhetsklausul i kontraktet?"

"Va?"

"Hon har inte specificerat något, eller hur?" frågade Racine med rynkad panna.

"Vem då?"

"Lucy, så klart!", fräste han.

"Aha." Nu gick det upp för Gemma vad han pratade om. "Nej, det finns inget sådant i hennes kontrakt. Du menar scenen på gravplatsen?"

"Det är klart att det är den jag menar. Du kanske minns att det finns något som heter tidsschema? En tjock, svart mapp som din personal har sammanställt?

En mapp som är sorgligt vanställd av otaliga skrivfel och hopplös grammatik, men ändå har vissa likheter med ett schema?"

"Jag tror att jag kan erinra mig något i den stilen", genmälde Gemma iskallt.

Det var en lättnad att känna den tillfälliga fysiska förvirringen lösas upp av Racines sedvanliga, giftiga kommentarer. Hans sarkasm verkade konstigt nog lugnande, och till sin belåtenhet kunde hon nu fokusera på eftermiddagens tagning. Det var något påtagligt, verkligt, helt olikt det bisarra satyrspel hon var utsatt för. Gabrielles kyss. Leo som hennes älskare. Eller Racine. Och så var det Jay, som hade kommit sent i går kväll ... Med en viss lättnad koncentrerade hon sig på Racines ord.

"Det står särk i manuset", påpekade hon. "Och Lucy ska ju vara en viktoriansk jungfru. Hon knallar knappast omkring naken."

"Sant", sa han och svängde benen över kistkanten, "men irrelevant. Tänk på Polanskis häxor. Filmen skapar sin egen värld, sin egen verklighet. Det vore helt övertygande att hon blottade sig under det hypnotiska inflytandet från vampyren."

"Men man förlorar den spöklika effekten som den fladdrande särken skulle ge", sa hon och betraktade de långa benen som dinglade över kistans mörka, polerade trä. Hans bara fötter var långa, smala och eleganta, med höga fotvalv och långa tår.

"Jag vet", medgav han beklagande. "Det är sorgligt. Vi kanske kunde filma båda varianterna och se vilken kameran föredrar?"

Hon trodde knappt sina öron. För första gången rådfrågade han henne faktiskt, inbegrep henne i beslutsfattandet. Och hela tiden måste hon kämpa mot en vild, sanslös impuls att falla på knä framför honom, slicka hans fot, spana upp i de grå ögonen och se ett gensvar i dem.

"Det är mer praktiskt att fatta beslutet nu", sa hon lugnt och häpnade över sina oregerliga tankar. Om älskaren var Racine, vad skulle hon då ta sig till? Skulle hon verkligen vilja veta det? "Jag måste kolla kontinuiteten, men vad jag kan erinra mig skulle det inte spela någon roll vilket som."

Det var en undanflykt, och han märkte det.

"Och du som är producent, har du ingen konstnärlig preferens? Ingen åsikt?"

Plötsligt blev tanken nästan övermäktigt frestande, att låta tungan löpa över hans nakna hud, invagga honom i säkerhet en stund och sedan bita till hårt, känna benet krasa mellan tänderna, känna den varma kopparsmaken av blod fylla munnen.

Hon såg på honom med smalnande ögon, värderade kyligt hans blekt eleganta kropp, den svarta rocken som smet intill honom och blottade den muskulösa bringan.

"Med särken, tycker jag", sa hon samlat. "Mer lockande, mer illusoriskt. Och bättre djup för kameran."

Himmel, hon började till och med låta som Racine!

"Mmm", mumlade han eftertänksamt och lutade sig bakåt i kistans satängfamn igen. "Jag gillar illusioner."

Det var sent på eftermiddagen. Himlen hade beslutat göra Alexei Racine till viljes och var gråmulen och hotfull. Personalen var redo, och skådespelerskan som hade Lucys roll stod och huttrade i en genomskinlig, vit nattsärk. Gabrielle, insvept i mink från topp till tå, satt uppflugen på en närbelägen gravsten och betraktade scenen med hastigt avtagande intresse medan utrustningen ideligen ändrades och flyttades. En filminspelning, reflekterade hon besviket, tycktes bestå av ett stort antal människor som stod och hängde, rökte, drack kaffe ur plastmuggar och väntade på att något skulle hända.

Konstigt att något så kreativt och konstnärligt kunde vara så tröttsamt. Så långtråkigt. Förstrött frågade hon sig om hon någonsin hade haft en så trist eftermiddag. Svaret var ett definitivt *non*.

Hon såg Racine stega omkring runt kamerorna med en märkbar anspänning i sina tvära rörelser. Gemma stod och talade med en mystisk man med stridslystet utseende och håret i hästsvans, klädd i svart läder. Leo var förstås inte där. Hon kanske skulle gå och leta efter honom.

Hon skruvade rastlöst på sig och hade nästan bestämt sig för att återvända till slottet när någon ropade: "Tystnad, kameran går."

Gabrielle såg aktrisen med det långa, blonda håret tveksamt röra sig över gravplatsen. Hennes ögon var stora och tomma och särken fladdrade bakom henne, böljade för varje steg och avslöjade ett par långa ben.

"Bryt!" hördes Racines röst som ett piskrapp.

De tog om samma scen gång på gång. Medan Gabrielle iakttog kvinnans spel började en idé ta form i hennes huvud.

Gemma låg och drog sig i badkaret och lät det ångande, parfymerade vattnet lösa upp spänningarna i kroppen. Racine hade varit odrägligare än vanligt i dag. Han hade krävt den ena omtagningen efter den andra, och hon hade varit för upptagen med inspelningen för att hinna tänka på något annat.

Nu lät hon tankarna vandra och spelade upp för sig morgonens samtal med Gabrielle i orangeriet. Varenda händelse sedan hennes ankomst till slottet tycktes vara höljd i en dimma av overklighet. Det kanske berodde på själva slottet, tänkte hon fundersamt, eftersom det var så bisarrt luxuöst, så vräkigt dekadent.

Hon kunde aldrig ha föreställt sig att hon en dag skulle sova i en säng som hade tillhört kejsarinnan Josephine och äta på guldtallrik ... och här låg hon nu i ett jättebadkar i ett badrum som var lika stort som hela hennes lägenhet i London, med fötterna stödda mot gedigna guldkranar formade som delfiner, och andades in aromen av en dyrbart parfymerad badolja som hon hade hittat på hyllan.

Hon lät tankarna gå till sin drömälskare, till Leo Marais, till Jay Stone, och sedan till Alexei Racine. Ofrivilligt ryste hon till vid tanken på Racine, men hon tvingade sig att ta möjligheten i betraktande. Alla tre männen var långa, runt en och åttio. Alla var smärta och vältränade och muskulösa. Alla hade varit med på nyårsfesten. Vem som helst av dem kunde ha kommit någon dag tidigare, tagit en promenad över markerna och hittat forngraven i skogen. Skulle hon känna igen honom, sin drömälskare, som hon så självsäkert hade sagt till Gabrielle?

Lojt sträckte hon sig mot en av gulddelfinerna och lät mer hett vatten strömma ner i karet. Hon kunde förstås försöka luska fram detaljerna, leka detektiv och ställa frågor som "var var du den och den natten?", men någon djup instinkt fick henne att snabbt avfärda den tanken. En beräknande förförelse, kanske ...

Suckande sjönk hon tillbaka och hörde i samma ögonblick en lätt knackning på dörren till sviten.

"Ja?" ropade hon.

"Gemma, det är jag, Gabrielle. Får jag komma in?"

"Visst, stig på bara", ropade Gemma och beredde sig motvilligt att kliva upp ur badet. Men just när hon reste sig och sträckte sig efter badlakanet öppnades dörren och Gabrielle slank in.

"Det var inte meningen att störa dig", sa hon leende och gled uppskattande med blicken över Gemmas kropp. "Men jag tänkte att vi kunde ta ett glas ihop och prata lite. Ska jag ringa efter något? Vad vill du ha?"

Hon satte sig på den vita och förgyllda stolen framför toalettbordet och viftade åt Gemma att lägga sig ner i badet igen.

"Åh." Gemma sjönk ner i det oljiga, doftande vattnet. "Jag vet inte riktigt om jag …"

"En martini", avbröt Gabrielle bestämt. "En vodka martini, iskall, med oliver. Min favoritdrink i badkaret. Ja?"

"Det låter gott", instämde Gemma, en smula bragt ur fattningen. Gabrielle verkade så fullkomligt avspänd som om det inte alls var något anmärkningsvärt med att hon var i badrummet medan Gemma badade. Och det var det kanske inte heller, med tanke på samtalet de haft samma morgon.

Gabrielle sa några ord i snabbtelefonen som satt på väggen bredvid toalettbordet. Sedan vände hon sig till Gemma med ett belåtet leende.

"Jag sa till om en hel tillbringare. Du kommer säkert att gilla smaken. Berätta nu, är det alltid så där tråkigt, ditt filmarbete? Jag hade inte trott att det skulle vara så mördande trist!"

Hon småpratade vidare tills en knackning på dörren tillkännagav att deras martini hade kommit, och inte förrän hon hade hällt upp två stora drinkar, tänt

167

en cigarrett och lagt sina fulländade ben i kors tog hon upp det ämne som fyllde bådas tankar.

"Jaha, Jay Stone har kommit", sa hon. "Väldigt slumpartat, eller hur?"

"Slumpartat?" upprepade Gemma, starkt medveten om sin nakna kropp i det doftande vattnet, starkt medveten om Gabrielles närvaro.

"Det kanske inte är rätt ord", sa Gabrielle och rynkade på näsan. "Min engelska är inte perfekt. Men förstår du vad jag menar?"

"Jag tror det." Gemma tog en klunk ur sitt glas. Martinin var syrlig och isig, en uppfriskande kontrast till hettan från badet.

"Och vad tänker du göra?"

"Jag vet inte." Det var omöjligt att tänka sig att hon bara för en stund sedan hade övervägt att förföra Leo eller Jay ...

"Det är enkelt egentligen", sa Gabrielle. "Du måste pröva alla tre, eller hur? Eller vänta tills han kommer till dig igen. Men jag har en idé för oss båda."

"Vad då?" frågade Gemma nervöst och tog en ny klunk ur sitt glas.

Gabrielle fimpade cigarretten och gick fram till badkaret. Hon satte sig på kanten och lät ena handen släpa i vattnet, plaskade lite med den och gjorde ringar på ytan.

"Jag sa ju att jag var rädd att Leo börjar tröttna på mig", sa hon och såg Gemma i ögonen. "Och jag tänkte att du och jag tillsammans kanske kan sporra hans intresse."

"Du och jag tillsammans?" ekade Gemma med en röst som inte verkade tillhöra henne. Hon kände Gabrielles hand snudda vid hennes bröst i en lätt smekning. Trots badvattnets hetta märkte hon att bröstvårtorna knottrade sig och blev styva.

"Tillsammans", kuttrade Gabrielle, lät fingrarna vandra till en av de hårda spetsarna och klämde varsamt på den. "Leo kommer att bli nyfiken på mig igen, och du får reda på om han är din mystiske älskare eller ej. Perfekt, va?"

"Nej. Jag menar ..."

"Tänk efter, Gemma. Tänk på saken."

Långsamt gled handen genom vattnet, gjorde uppehåll vid revbenen och magen och fortsatte sedan till venusberget. Gemma svalde, plötsligt torr i munnen.

"Det här är något jag aldrig har gjort förr", fortsatte Gabrielle lågmält. "Men jag tror att det kan bli väldigt ... spännande. Och du är mycket vacker."

Hennes hand befann sig alldeles ovanför det lummiga deltat mellan Gemmas lår och berörde det nästan, men inte riktigt. "Är du inte det allra minsta nyfiken?"

Det tycktes Gemma som om alla sinnen var koncentrerade på Gabrielles hand och den mjuka, lirkande rösten. Visst var hon nyfiken, och upphetsad också, en dov, skälvande, förbjuden upphetsning som bultade mellan benen och fick magmusklerna att spännas. Men hon var också en smula rädd, rädd för att säga ja, rädd för att säga nej.

Nyfikenheten stred med fegheten. Hennes känslor måste ha avspeglat sig tydligt i ansiktet, för Gabrielle log vänligt och sänkte handen. Med sitt smala pekfinger fann hon genast, osvikligt, Gemmas klitoris och tryckte lätt på den. En silkesmjuk darrning löpte genom Gemma, ett ljuvligt pirrande som sträckte sig från grenen till bröstvårtorna.

"Vi är kvinnor, du och jag", sa Gabrielle. "Och vi kan hjälpa varandra. Kanske rentav ge varandra njutning. Ja?"

"Ja", suckade Gemma. "Ja." Det kändes som om en stor tyngd plötsligt hade lyfts från henne.

"Underbart." Gabrielle log och tog bort handen.

Hon stannade kvar medan Gemma badade färdigt, pratade om ditt och datt och drack ännu en martini.

Märkvärdigt obesvärad lindade Gemma en bad-handduk om sig och kammade ut håret, lugnad av ljudet av Gabrielles röst, varm och avslappnad efter badet och den andra martinin. När Gemma hade lagt makeup gick de ut i sovrummet, och Gabrielle ut-brast:

"Åh, det höll jag på att glömma! Jag tänkte att du kanske vill låna något lite mer ..." Hon höjde på sin ena bara axel för att framhäva de välskurna linjerna i sin svarta aftonklänning.

Den klänning hon valt åt Gemma var i själva ver-ket "något lite mindre". En syndig skapelse i tjockt, vattrat, vitt siden som lämnade armarna och ryggen bara och var djupt urringad framtill. Den var slitsad upp till låret och smet åt runt Gemma som ett andra skinn.

"Nej, ingen behå", insisterade Gabrielle. "Det för-därvar linjen. Ser du?"

"Ja, det har du nog rätt i." Gemma avlägsnade det stötande plagget. Sidenet kändes svalt och tungt mot hennes nakna bröst.

Gabrielle ställde sig bakom henne så att deras spegelbilder sammansmälte i glaset. "En studie i kon-traster, svart och vitt. Jag tänkte mig dig i den här klänningen i eftermiddags, medan jag såg den stackars flickan som måste gå över gravplatsen i sin vita särk. Jag visste väl att den skulle vara precis rätt för dig."

De åt middag i stora salen, där kristallkronans skim-rande ljus gav en varm ton åt guldtallrikarna och fick kristallglasen att gnistra. Eftersom de inte var jämna par satt Leo i högsätet med Gabrielle till höger och

Gemma till vänster. Bredvid henne satt Jay Stone och mitt emot Alexei Racine.

Måltiden var delikat och elegant serverad, och vinerna utvalda med omsorg. Ett friskt, blekt vitvin serverades till en hummermousse dekorerad med belugakaviar; en champagnesorbet förberedde gommen för lammnoisetter och en härlig Bordeaux. Det fanns ett frestande urval av grönsaker, små potatisar som glänste av smör och pryddes av gräslök och persilja, drivhussparris med mäktig hollandaisesås, morotsstavar och zucchini i en lätt vitlökskryddad sås, spenat med russin och pinjenötter och gröna ärter garnerade med mynta.

Samtalet verkade uppstyltat, tyckte Gemma, eller inbillade hon sig bara? Hon borde förstås ha lyssnat mer uppmärksamt på Jay och Alexei när de diskuterade filmen, men hon var märkligt likgiltig, till och med när hon hörde dem nämna Horror Inc. Gabrielle och Leo samtalade på franska, men Gabrielle såg ofta på henne med ett leende och översatte en och annan anmärkning.

Det var nästan som om alla väntade på något. Gemma visste att hon kunde avvakta, för Gabrielle skulle säkerligen manipulera och manövrera förloppet enligt sin önskan. Hon visste att hon, Gabrielle och Leo skulle befinna sig någonstans ensamma innan kvällen var slut.

Och sedan? undrade hon. För Gabrielle var den planerade triangeln en pikant förströelse för att reta aptiten hos en älskare som hon fruktade började ledsna. För Gemma var den ett tillfälle att uppdaga om Leo var hennes mystiske drömälskare eller inte. Men i ärlighetens namn behövde hon inte Gabrielles hjälp till det. Hon skulle kunna konfrontera Leo ensam.

171

Men tanken på dem alla tre tillsammans innehöll en skamlig lockelse, det förbjudnas dragningskraft. Hur skulle det vara att älska i en sådan konstellation, en man och två kvinnor som alla var inriktade på att skänka varandra njutning; ett nystan av lemmar och behov, av bröst och kuk, av delad fröjd och samtidig rivalitet.

"Håller du inte med om det, Gemma?" frågade Gabrielle.

"Jo visst", hörde Gemma sig själv svara.

Champagne serverades till den vita chokladmoussen, tjockt, starkt kaffe till konjaken. När måltiden närmade sig sitt slut var Gemma spänd av förväntan och hjärtat slog fortare.

Till slut blev det Racine själv som erbjöd Gabrielle en öppning.

"Får vi låna ditt arbetsrum, Leo? Jay och jag måste prata affärer ett tag, och jag behöver din fax."

"Naturligtvis, min vän", svarade Leo och nickade. "Säg till Henri om ni behöver något annat."

Inbillade hon sig, eller fanns där ett kort ögonblick då Gabrielles ögon mötte Racines i outtalat samförstånd?

Och så var de ensamma.

Gabrielle sträckte på sig och gäspade diskret. "Leo, följer du mig till min svit? Jag är så trött ... Och Gemma, du måste också komma med. Klänningen förstår du", förklarade hon när Leo höjde på ögonbrynen. "Gemma lånade den av mig i kväll. Visst klär den henne?"

"Alldeles förtjusande", instämde Leo.

Artigt bjöd han dem var sin arm.

Minnet av vandringen till ett sovrum är ofta dimmigt, drunknar i det som väntar vid dess slut. Men Gemma visste att hon för resten av livet skulle kunna erinra sig varje steg som förde henne mot Gabrielles svit, vartenda uppehåll på vägen. Värmen från Leos kropp där han gick och lätt höll henne om armen, den tunga, exotiska doften från Gabrielles parfym, det glatta frasandet av hennes vita klänning.

"En konjak?" erbjöd Gabrielle när de kom in i hennes blå- och guldfärgade svit. Hon bad Gemma och Leo att sätta sig i en liten blå sammetssoffa. Utan att vänta på svar hällde hon upp en kupa konjak åt Leo och slog sig ner bredvid honom. Det fanns nätt och jämnt rum för tre, och Leos ögon smalnade en aning vid denna påtvingade intimitet.

"Och vad vill du ha, Gemma?" frågade Gabrielle mjukt. Hon sträckte sig fram, tog Gemmas hand och förde den varsamt till Leos gylf.

För ett ögonblick stelnade Leo till av överraskning. Men i samma stund som Gemmas fingrar snuddade vid honom började hans kuk svälla. Hon kände den växa, hårdna och strama mot det dyrbara ylletyget, och det fyllde henne med en plötslig upprymdhet. Under Gabrielles hand lät hon sin egen glida över gylfen, stryka mot blixtlåset och utforska det tjocknande skaftet genom tyget, känna hans skälvande gensvar.

Leo lät höra ett kvävt ljud, och Gabrielle tog konjakskupan ur hans hand.

"Du kanske vill ha det här i stället?" viskade hon.

Hon började smeka den sida av Leos kropp som var närmast henne, drog med handen över bröstet, fingrade på en bröstvårta. Sedan fortsatte hon ner till skrevet, låret. Gemma imiterade hennes rörelser, lät sin hand följa samma bana, fann den trubbiga bröstvårtan som styvnade under hans fina sidenskjorta, återvände till hans skrev, fann den upphetsat svällda staken, det hårda, muskulösa låret.

"Ja?" frågade Gabrielle lågt, fångade in Gemmas hand och lindade deras sammanlänkade fingrar runt hans kuk.

"Ja", sa Leo tjockt. "Ja!"

Gemensamt, i tyst samspel, med perfekt synkroniserade rörelser, tog Gemma och Gabrielle av honom byxorna, skjortan, kalsongerna, strumporna och skorna. Han hade en vacker kropp, ett kraftfullt axelparti som smalnade till slanka höfter, en penis som reste sig stolt ur könshårets mörka buske, och långa, välformade ben.

Gemma lät fingrarna vandra till hans kuk och undrade om hennes hand skulle känna igen honom, om något slags köttslig alkemi skulle flamma upp vid beröringen. Men Gabrielle drog undan henne.

"Låt mig." Hennes händer gick till blixtlåset i den vita klänningen.

Gemma stod passiv medan Gabrielle knäppte upp klänningen och lät den falla till golvet i ett vitt, böljande sjok. Hon stod vänd mot Leo och såg hettan i hans ögon när han betraktade hennes nakna bröst och de små trosornas vita triangel där de omslöt hennes venusberg. Hon kände sig samtidigt stolt och blyg, upphetsad, smått skrämd och otroligt upptänd. Gabrielles händer gick till hennes trosor, gled in under resåren.

"Nej", sa Leo hest. "Inte än." Hans röst var sträv av upphetsning, helt olik greve Marais vanligtvis så kultiverade stämma, och en rysning ilade längs Gemmas ryggrad. Men det var inte samma kärva röst som i hennes drömmar, det var hon säker på. Nästan säker.

Naken reste han sig ur soffan och ställde sig bredvid dem. Med en skicklig rörelse drog han av Gabrielle klänningen. Även hon hade bara ett par små trosor under, men hennes var svarta.

174

"Vackert", mumlade han med tjock röst och lät blicken flacka mellan dem. "Så vackert."

Han stack in ena handen mellan Gemmas lår och den andra mellan Gabrielles. "Ett ytterst spännande dilemma", fick han fram. "Jag har två händer, men tyvärr bara en kuk."

Genom trosornas tunna silke kände Gemma honom smeka blygdläpparnas trinda blad och söka hennes klitoris, kupa handen om henne, utforska henne, och hon visste att hon höll på att bli våt. Gabrielles bara arm strök mot hennes, och hon andades fortare när hon kände Leos kuk snudda lätt mot hennes mage.

Blygdläpparna svällde mot det fuktiga silket, blev mogna och blodfyllda och hala och pulserade under hans fingrars lättjefulla spel. Om han ändå ville böja ner huvudet och kyssa henne där, avslöja sig genom att kyssa henne på samma vällustiga sätt som hennes drömälskare gjort; eller ta henne snabbt, nu, köra in sitt hårda skaft i henne, låta hennes inre känna igen storleken och formen på hans lem.

Men Leo Marais gjorde inte det. Först hade han blivit överrumplad, sedan snabbt upphetsad inför utsikten att få ta Gabrielle och Gemma samtidigt. Nu brann konstkännarens uppfinningsrikedom i honom. Gabrielle hade överträffat hans förväntningar genom att arrangera denna triangel, och det förvånade honom att Gemma gått med på det. Av skäl han inte ens själv förstod hade han avstått från att älska med henne härom natten, trots vetskapen om att Alexei ville att han skulle göra det. Men nu hade hon ändå hittat vägen till honom. Tillsammans med Gabrielle.

De trodde nog att de kunde göra vad de ville med honom nu, men han ville återta ledningen. Han kände de båda kvinnorna under sina händer, heta och skälvande, öppna för hans fingrar, våtvarma mot det blöta silket. Hans beundran för Gabrielle var uppriktig; han hade aldrig trott att hon skulle vara så djärv på eget initiativ. Och han skulle uttrycka sin uppskattning – på sitt eget sätt.

Motvilligt drog han handen från det fuktiga silket, vände sig mot Gabrielle och kysste henne mjukt på munnen.

"Vilken vacker present du har gett mig", mumlade han mot hennes läppar och tog hennes hand i sin. "Kom, så öppnar vi den tillsammans."

Han förde hennes händer till Gemmas bröst, och med hennes fingrar under sina kramade han de uppsvällda kullarna, nöp och knådade dem utan att röra vid de styva, blodröda bröstvårtorna.

Gemma stod med slutna ögon medan Leos stora händer vägledde Gabrielles mindre, bestämde tempot, förmådde henne att följa hans rörelser. Hon kände den starka, ledande kraften, styrkan i hans händer och fingrar, trots att de aldrig kom i direkt kontakt med hennes hud. Hennes sinnen flöt ihop och löstes upp.

Hon var fångad i ett sprött, sensuellt nät, fängslad och förhäxad av deras händers rytmiska smekningar. Samma rytm bultade i hennes maggrop, en het puls som frammanades av deras fingrar och fick hennes inre att smälta. Hennes bröstvårtor var stenhårda och tiggde om att bli förlösta av en hård, sugande mun. Trosorna kändes olidligt trånga, och genomblöta av upphetsningens safter. Hon hörde sig själv stöna högt, och sedan Leos röst liksom långt bortifrån.

"Visa mig, Gabrielle, vad du vill att jag ska göra med dig."

Gabrielles mun slöts om hennes bröst. Gemma krökte sig mekaniskt mot henne. Alla dolda motiv och hemliga önskningar upplöstes i den ljuva värmen när Gabrielles tunga följde vårtgården, flirtade med bröstvårtan, och tänderna snuddade vid de uppsvällda spetsarna.

Det var en kvinnas mun, mjuk och förförisk, varsam och lirkande, retsam och löftesrik. Hennes bröst svällde ytterligare, blev rundare och fylligare, lika fylliga som hennes inre läppar som nu stretade mot trosornas silke.

Med naturlig skicklighet flyttade Gabrielle munnen till Gemmas andra bröst, utsatte även detta för samma ljuva tortyr, rullade försiktigt den hårda vårtan mellan tänderna och framkallade en ilning av vällust som löpte ända ner till skrevet. Sedan rörde hon sig fram och åter mellan de två rosiga knopparna och övergav dem alltid innan de var helt tillfredsställda. Gemma kände hela kroppen hetta och rodna. Hon längtade efter en hård, hungrigt sugande mun men njöt ändå av den milda, försiktiga behandlingen.

Med slutna ögon anade hon Leos närvaro, visste att han såg på med lysten blick. På något sätt ökade det hennes upphetsning, fick elden i henne att flamma högre.

"Och sedan då, Gabrielle?"

Händer och mun lämnade hennes bröst, och ett varmt spår av kyssar löpte nerför revbenen och över höfterna, en tunga lekte med naveln innan den fortsatte ner till skrevet. Genom silkestrosorna kände hon tungan treva efter hennes klitoris, slicka fåran mellan låren.

Musklerna i hennes ben började darra, och hon kände sig matt och yr. Snabbt ställde sig Leo bakom henne, stödde henne, höll henne mot sin kropp. Hon kände hans hårda penis mellan sina skinkor och hans varma andedräkt mot nacken.

"Och sedan?"

Gabrielles händer var vid hennes höfter och drog nu ner trosorna till vristerna. Hennes läppar strök mot könshåret, puffade och nafsade och cirklade runt klitoris.

Gemma var mjuk och het och uppsvälld. Gabrielles fladdrande tunga lämnade en eld i sitt kölvatten, en fuktig, brännande hetta som förvandlade Gemmas blod till lava och hennes fitta till ett inferno. Orgasmens första lågor slickade henne under skinnet när Leo åter frågade:

"Och sedan, Gabrielle?"

Hon kände honom tränga in i henne bakifrån, dyka in i den flammande hettan just som den första spasmen skakade henne. Hennes kropp drog ihop sig om och om igen, ryckte i intensiv extas.

Leo höll henne hårt intill sig, njöt av hennes våldsamma sammandragningar, lät hennes kropp omsluta hans medan våg efter våg drog igenom henne. Långsamt märkte han hur kramperna blev svagare allt eftersom orgasmen ebbade ut.

Gemma kände honom inuti sig.

Det var han, men ändå inte han.

Hans penis var alltför lång, och ändå inte tillräckligt lång; mäktig men inte betvingande; alltför tjock men ändå inte tjock nog; välbekant men ändå främmande.

Så snart hon förmådde drog hon sig undan och sparkade av sig silkestrosorna som låg snodda kring vristerna. Hon kände sig utpumpad men triumferande, fylld av en egendomlig, förvirrad lycka. Leo stod blickstilla med kuken ännu hård och otillfredsställd. Gabrielle låg kvar på knä framför honom. Gemma böjde sig ner och tog upp den vita klänningen. Snabbt drog hon den över huvudet och vände sig mot dem.

"Och sedan, Gabrielle? Sedan då?" sa Leo och fixerade den knäböjande gestalten.

Gemma såg att Gabrielle reste sig. De verkade ha glömt henne båda två, var fullt upptagna av varandra. Tyst smög hon ut ur rummet.

8

Kvinnan låg på en plattform av sten. Hennes ljusa, böljande skrud föll i veck ända ner till stengolvet; hennes ljusa, böljande hår rörde nästan vid marken. Skuggor och dimslöjor svävade i det grottliknande rummets hörn, mystiska och kyliga.

Kvinnan var stilla och vit, huden hade samma bleka elfenbenston som skruden, var lika vaxartad som liljan hon höll i sina knäppta händer mellan brösten. Det var bara hennes läppar som inte saknade färg. De var lysande, vällustigt blodröda.

De massiva stenväggarna kunde motstå allt utom den fuktiga kylan som tycktes sippra in genom varje springa. Det var bara ett ljusspel, ett kallt skimmer på stenens grå yta, men en ondskefull ande tycktes genomsyra grottan, något som bara visade sig i virvlande dimma och fuktig sten.

Gradvis, nästan omärkligt, förändrades ljuset, och stenväggarna smälte bort i skuggorna, löstes upp i den svävande dimman som virvlade, ändrade form. Förvandlades.

I det trolska ljuset materialiserades tre kvinnor med runda och vällustiga kroppar, klara, hårda ögon, vita tänder och blodröda läppar. De log mot den orörliga gestalten, omringade henne och kallade på henne med ljuva röster. "Kom till oss, syster! Kom till oss!"

Graciöst lutade de sig fram, vinkade med knubbiga vita armar, blottade runda bröst, särade vita lår.

"Kom till oss, syster! Kom till oss!"

Deras höfter ormade sig som i älskog, svajande och gungande. Så vällustigt rörde de sig att luften plötsligt tycktes fylld av upphetsningens mysktunga doft.

De gick närmare den bleka figuren på plattformen, böjde sig ner som för att lukta på den vita liljan på hennes bröst, men drog sig motvilligt tillbaka. En var djärvare än de andra och hade nästan snuddat med läpparna vid den vita halsen när dimman plötsligt tätnade, mörknade och förlängdes till grevens svarta, hotfulla gestalt.

Hans ansikte var blekt som döden och ögonen blixtrade röda av raseri. Med en häftig rörelse drev han undan de tre kvinnorna. De sjönk tillbaka in i skuggorna, upplöstes i dimman.

Han stod bredvid den bleka, orörliga gestalten, insöp hennes närvaro, njöt av att se på henne. Något av blekheten lämnade hans ansikte, som om blotta åsynen av hennes vita kropp värmt hans blod.

Hans djupa blick under tunga ögonlock röjde inte några känslor. Anletsdragen var skarpa, nästan rovdjurslika. Och när han log ett långsamt, sinnligt leende, syntes hans spetsiga hörntänder.

Luften tycktes röra på sig, tätnade och djupnade.

För en åskådare var det omöjligt att inte ryckas med av den dunkla erotiken i denna scen, de heta ögonen som slukade den orörliga gestalten, de stela, blodröda läpparna, den långa, bleka strupen, de höga brösten med bröstvårtorna som skuggor under den tunna, vita skruden.

Det var ett laddat ögonblick. Kanske det berodde på doften av eggelse som ännu låg kvar i den tunga luften, kanske var det den allt överskuggande hedonismen i vampyrens förväntan inför dödsbringande njutningar som fångade sinnena, fick pulsarna att skena och andetagen att bli snabbare.

Gemma var som förhäxad. Precis som kvinnan på plattformen kände hon sig förstenad i väntan på demonälskarens beröring, den snabba och glupska attacken. All vilja, all åstundan, varje hjärtslag tycktes nu styras av den uppslukande, svarta åtrån hos vampyren, vars vackra, blodröda läppar svävade över kvinnans bleka, blottade strupe.

Hon verkade vakna till liv under hans blick. Stelheten löstes upp, den bleka hyn började få färg.

När han slutligen lade läpparna mot hennes strupe krökte sig hennes kropp och kom honom till mötes, en snabb, graciös och ödesdiger rörelse. Hans tänder trängde in i henne, sänkte sig djupt i hennes bleka hull.

Och så var det över.

"Magnifique!" andades Gabrielle som hade stått tyst bredvid Gemma.

Gemma vände sig leende mot henne. Flera dagar hade gått sedan natten i Gabrielles svit, och hon hade knappt sett till vare sig Leo eller Gabrielle sedan dess. De hade börjat äta ensamma i Leos privata våning och kom sällan ut därifrån. När de visade sig var de alltid tillsammans, och vid de få tillfällen då Gemma mötte dem behandlade de henne med varm tillgivenhet, som en älskad syster.

Gabrielles list tycktes ha fungerat. Leo var numera ständigt vid hennes sida, och för första gången visade han öppet sin tillgivenhet. Hans arm låg nästan alltid om hennes axlar eller omslöt hennes midja med självklar äganderätt. Och Gabrielle såg så nöjd och belåten ut som om hon när som helst skulle börja spinna.

Gemma var glad för hennes skull, men tillvaron hade förändrats i och med värdparets frånvaro. Jay

181

Stone hade kallats till Paris i oväntade affärer, och hon och Racine hade varit ensamma med varandra på kvällarna. De åt i den enorma salen där ett hundratal matgäster lätt skulle ha fått plats, och sedan tittade de på filmklippen i det lilla visningsrummet som Leo hade upplåtit åt dem.

Racine var uppslukad av filmen och talade sällan om något annat. Om Gemmas tankar någon gång gick till drömälskaren eller minnet av herdestunden med Leo och Gabrielle, tycktes han inte märka det.

Nu när Gemma förvissat sig om att Leo inte var hennes drömälskare var hon ovillig att forska vidare i saken. Hennes sömn stördes av mörka, köttsliga drömmar om en demonälskare, drömmar som lämnade henne tom och otillfredsställd. Ibland föreföll det som om filmen höll på att bli verklighet, eller verkligheten höll på att förvandlas till en film.

För två nätter sedan hade hon vaknat ur ännu en dröm, varm och olidligt upphetsad, och då hade hon gått ut och strövat omkring vid det gamla kärntornet, övertygad mot allt förnuft om att han skulle komma till henne där. Till slut hade hon återvänt in, utmattad och genomfrusen, krupit i säng och fallit i drömlös sömn.

"Ett mörkt geni", mumlade Gabrielle bredvid henne. "Mycket mörkt."

Om Alexei Racine hade hört den kommentaren skulle han ha beundrat Gabrielles klarsynthet. Det var nämligen så han betraktade sig själv. Som ett mörkt geni. Och denna uppfattning bekräftades varje kväll när han granskade dagens filmsnuttar. Precis som han granskade Gemma.

Förändringen hos henne var subtil men omisskännlig. Numera rörde hon sig med en naturlig, rytmisk elegans, den fysiska gracen hos en kropp som är sensuellt medveten. Han tvivlade inte på att hon till stor del var omedveten om det, och det behagade honom mer än någon avsiktlig provokation hade kunnat göra.

Han började känna igen den fjärrskådande blicken i hennes djupblå ögon, blicken som åtföljdes av rodnande kinder och hastigare andetag. Och han visste vad hon tänkte på. I dessa stunder, när hon trodde att ingen iakttog henne, såg hon ut som en kvinna som minns sin älskare.

Leo hade förstås gjort en antydan om den sexlek som Gabrielle initierat, och det hade roat Alexei att höra honom tala med så föga övertygande *savoir faire,* märka hur hans laddade känslor lyst igenom i varje utstuderat, överseende roat tonfall och ord.

Idén med trekanten hade varit ett genidrag, erotiskt och sensuellt inspirerat – och det var naturligtvis han som hade föreslagit den för Gabrielle.

Han hade dock inte hyst någon önskan att få titta på. Han kunde ändå tydligt se dem för sin inre syn. Gabrielles slanka, mörka skönhet, Gemmas långa, silverblonda hår, Leo som var trubbig och hård där de var mjuka och eftergivna. Det var tillräckligt för honom – faktiskt långt mer tillfredsställande – att ha skapat scenen.

Men han började tröttna så smått på sin roll som erotisk impressario. Härom natten hade han sett Gemma ströva runt på gravplatsen med håret nästan självlysande i månskenet, och han hade måst betvinga sin lust att gå till henne, lägga ner henne på de kalla marmorplattorna och ta henne där.

Det var bara fransmännen som riktigt insåg sambandet mellan sex och död, reflekterade han. Bara fransmännen förstod *la petite mort,* den ödesdigra, förintande extasen i en fulländad orgasm. En dag

183

skulle han ta henne på en gravplats, möta och besegra dödens skuggor med parningsaktens dödsföraktande raseri. Kanske på Père Lachaise, den mest erotiskt stämningsmättade av alla Paris kyrkogårdar, bredvid den rättframt erotiska skulptur av Epstein som smyckade Oscar Wildes grav. Nej, det var så sant – någon idiot hade ju brutit loss stenpenisen från den bevingade väktaren. Det var ett helgerån som upprörde Racine.

Hellre då i närheten av det älskande paret Heloise och Abélard, platsen där deras stenavbilder låg tillsammans, återförenade i graven. Racine smålog vid tanken. Han hade aldrig begripit den sötsliskiga sentimentalitet som vidhäftade den historien. Pierre Abélard hade i själva verket varit en hårdhjärtad, beräknande älskare som nästlat sig in i kaniken Fulberts hushåll utan annat syfte än att förföra den vackra Heloise. Och han hade inte dragit sig för att foga henne efter sin vilja med hotelser och slag när inte smekningarna förslog. En man att beundra, ansåg Racine.

Ibland föll det också slag, hade Abélard skrivit, ömhetsbetygelser så ljuva att de överträffade det mest doftande balsam. I sin lidelse hade de inte lämnat någon kärleksvariant oprövad. Deras sorgliga slut – Heloise ivägskickad till ett nunnekloster och Abélard kastrerad – tillförde bara historien en pikant udd som endast en fransman kunde uppskatta helt och fullt.

Var det trots allt inte en fransman, de Rougement, som hade beskrivit passionen som en längtan efter att förtäras och utplånas av den slutgiltiga triumfen?

Snart, tänkte han. Snart, men inte ännu.

I den öppna kistans svala, vita satängfamn lutade sig Alexei Racine tillbaka, slöt ögonen och beredde sig att ta en tupplur före middagen.

Leo hade också lagt sig en stund före maten. Hans nakna kropp låg utsträckt över det grå sidenöverkastet. Sidenscarves från Givenchy band hans handleder och vrister vid sängens fyra stolpar. Hans kropp glänste av ett tunt svettlager och hans kuk reste sig ilsket röd från det krusiga könshåret.

Gabrielle gnolade lågt för sig själv medan hon sakta tog av sig sin ostronfärgade morgonrock, och hon log inom sig när Leos erektion tilltog vid åsynen av hennes nakna kropp. Han hade lovat att inte säga ett ord eller röra en muskel om hon inte befallde det, men han kunde inte bemästra sitt svällande stånd.

Hennes upphetsning steg. Lättjefullt gick hon fram till bordet med inläggningar som stod bredvid sängen. För en stund befann hon sig utanför Leos synfält, och hon kunde nästan känna hans spänning när hon drog ut lådan.

En vibrator, kanske, som hon långsamt och kärleksfullt skulle dra över sin kropp, längs halsen och brösten och magen, stimulera varje centimeter av huden tills hon var plaskvåt inuti, medan han tittade på hjälplöst upphetsad, väl vetande att om det gick för honom innan hon tillät det, skulle något delikat straff utmätas. Mmm. Eller kanske hon skulle ta ännu en scarf, binda för hans ögon och leka med hans kropp, egga honom tills han förlorade kontrollen, och sedan tränga in i honom bakvägen med den släta penisattrappen av elfenben som han hade gett henne. Mmm.

Hon valde ut en liten salvburk och gick till sängens fotända. Hon kände hans ögon på sig, heta och hungriga. Han såg på medan hon smorde in sina bröstvårtor med salvan, som var spetsad med amylnitrat och kokain, vilket skapade en brännande, isande känsla som förhöjde alla förnimmelser.

De ömtåliga bröstvårtorna reagerade omedelbart, styvnade till hårda spetsar, svällde av blod. Hon flämtade till när hon kände dem hårdna, kände den ljuva ilningen av vällust löpa nerför ryggraden och sedan sprida sig till maggropen.

Frestelsen att föra ena handen till skötet, smörja in klitoris med den rosa salvan och känna den styvna, var nästan oemotståndlig. Med blicken fäst på Leo lät hon handen sjunka till skrevet och rös till av välbehag när hon såg att hans ögon smalnade och han bet sig i läppen. Om hon så önskade skulle hon kunna få sin orgasm om bara några sekunder, den glödande, korta urladdning som salvan utlovade.

Hon visste att hon kunde skapa den, framkalla den själv, få dubbel tillfredsställelse av att se Leos hjälplösa reaktion när han ejakulerade ut i tomma intet, berövad hennes kropp.

Så hon retade dem båda en smula, lät handen glida ännu närmare venusberget. Till skillnad från Leo visste hon att hon hade andra nöjen i sinnet, men hon njöt av makten, av det sexuellt upphetsande i att ha total kontroll.

Ty Gabrielle de Sevigny, den bortskämda, aristokratiska hustrun till en framstående regeringsmedlem, var inte längre besatt av sin älskare utan höll på att lära sig den komplexa och oändligt mer tillfredsställande konsten att dominera.

Nu var hon uppfinningsrik, odygdig, listig, och njöt av att tillämpa de lektioner i sinnlighet som Leo hade gett henne: hur hon skulle dra ut på förväntans pyrande glöd, hur hon skulle smaka på förspelets katt-och-råttalek, behaga och reta, klösa och lirka, pina och undfly tills bytet darrade av vettlös och värkande åtrå.

För några andlösa ögonblick lät hon Leo undra om hon skulle komma inför ögonen på honom. Men sedan förbarmade hon sig. Hon förde fingrarna till lårets insida och strök ut salvan till en tunn, brännande hinna, just där den skulle kunna nå hennes känsliga, yttre blygdläppar om hon korsade benen. Sedan tog hon långsamt bort handen.

Efter att på nytt ha doppat fingertopparna i salvburken närmade hon sig hans nakna kropp med ett frånvarande, fundersamt uttryck i ansiktet som om hon begrundade ett abstrakt, filosofiskt problem. Hon dröjde med fingrarna i luften ovanför hans bröstvårtor och fick honom att undra om hon skulle smeka dem, få dem att svälla. Sedan lät hon handen flytta längre neråt och sväva över hans stenhårda erektion.

Hon visste lika bra som han att en enda smekning på det bultande, purpurröda ollonet skulle framkalla en utlösning. Första kontakten med den pirrande, isande hettan skulle få honom att komma mot sin vilja. Hon såg en glittrande pärla samlas i spetsen av hans penis, och hon log.

Hon sänkte handen över pungens spända frukter och lät honom undra – vilket hon själv gjorde – hur det skulle kännas om hon strök ut salvan där, lät den penetrera de spröda, ömtåliga vävnaderna som var så lika hennes egna inre läppar.

Leos ögon var slutna och han andades tungt. Hans kuk skälvde i förväntan. Hon flyttade sakta handen närmare, lät honom bereda sig på en utlösning, såg hans ljumskar spännas omedvetet, såg hur han rörde på höfterna och gned skinkorna mot sängen. Då drog hon tillbaka handen och torkade noggrant av fingrarna på överkastet.

Det skrek i hennes kropp. Skötet kändes tungt och blodfyllt och sprickfärdigt, men hon var en läraktig elev. Hon gick fram till barskåpet medan hon övervägde sitt nästa drag.

Lika skicklig i den här leken som Leo var hon ändå inte, tänkte hon och svalde en klunk konjak. Hon kände sig het och uppsvälld och fittan värkte av längtan efter att bli genomborrad av den hårda stake som väntade på henne. Och Leo själv var förlorad, lika hjälplöst förlorad som hon själv varit en gång. Han hade underkastat sig hennes köttsliga reglemente med stor iver och väntade nu mållös och orörlig, precis som hon hade befallt.

Konjaken lämnade ett brännande spår efter sig i hennes strupe. Hon tvingade sig att läppja långsamt innan hon ställde ner kupan och återvände till sängen. Hon knäföll bredvid Leo och drog händerna över hans kropp, fingrade på de trubbiga bröstvårtorna och den hårda, muskulösa bröstkorgen, plockade med könshårets täta lockar, strök honom över låren och vaderna. En lång stund nöjde hon sig med varsamma smekningar och undvek att komma åt hans stånd. Till slut besteg hon honom.

Hans penis stötte blint mot hennes mjuka, fuktiga hull, och hennes inre muskler spändes och drog sig samman i väntan på att fyllas av hans hårda stake. Men hon höll tillbaka och lät bara det uppsvällda huvudet glida in, gungade sakta med höfterna och drog in honom ett litet stycke bara för att genast släppa honom igen. Hon höll honom kvar vid slidans mynning och nekade dem båda den njutning det skulle innebära att låta honom tränga ända in. Bakom sig kände hon hur hans höfter strävade upp mot henne, men hon lät honom bara få en kort, frestande försmak av det varma, fuktiga näste han längtade till innan hon vred sig undan. Lårmusklerna började darra och hon kände det djupa pulserandet i maggropen.

För en stund förbarmade hon sig och sjönk ner på hans stake, njöt av den stramande känslan när hennes kropp tänjde sig för att ta emot honom. Hans höfter sköt upp och hon kände honom röra sig inuti henne, tränga in djupare. Hon lutade sig bakåt och tvingade hans kuk mot sina inre väggar, intensifierade trycket så att det nästan gjorde ont. Ett vidglödgat fladder sköt längs ryggraden när hennes muskler slöt sig om honom.

Hon bet sig i underläppen och drog sig plötsligt undan i en snabb, hal rörelse och lade sig mot hans bröst. Han andades i korta flämtningar, och hans hud var upphettad och glänste av svett. Hon vilade mot honom tills hennes egna andetag hade lugnat sig, slickade hans hals och smakade salt på tungan. Hans kropp var spänd och hon kände hans muskler spjärna mot sidenhalsdukarna.

Stödd på ena armbågen betraktade hon honom. Hans ögon var hopknipna och ansiktet koncentrerat med sammanpressade läppar. Långsamt vred hon på sig tills hennes ena bröstvårta snuddade vid hans mun. Hans tunga sköt ut för att fånga in den, men hon drog sig undan. Sedan lutade hon sig fram igen och lät honom ta bröstvårtan mellan tänderna, unnade honom mer och mer av sitt bröst.

Han sög hårt, retade henne frenetiskt med tunga och tänder, förvandlade bröstvårtan till en hård, stram spets. Hon lät honom hålla på länge innan hon erbjöd sitt andra bröst till hans ihärdigt sugande mun.

Hennes svullna bröstvårtor värkte, nästan plågsamt stimulerade, och hennes kropp var redo för orgasm när hon med benen särade hukade sig över hans ansikte.

Hans tunga sträckte sig ivrigt efter henne när hon långsamt sänkte sig ner. Den pilade förbi de hala yttre blygdläpparna, styrde rakt mot ingången och dök in.

Hennes sköte var tungt av åtrå. Hon gungade ovanför honom och lät honom fånga hennes klitoris mellan läpparna innan hon på nytt drog sig ifrån honom. Om och om igen upprepade hon den lilla rörelsen medan han febrilt slickade hennes klitoris och stötte in i henne med tungan.

Hon började tappa kontrollen inför det trängande behovet av att känna honom inuti sig, och hela kroppen hettade av upphetsning. Nu var Leo hennes leksak, bunden och hjälplös, och den hårda pelaren mellan hans ben var också hennes. Nu hade hon chansen att pröva alla de spännande variationerna, de sensuella manipulationerna, allting och vad som helst ... Men hon ville bara ha honom inuti sig.

Hon gled neråt sängen och sänkte sig över honom, sög in honom med en långsam, vällustig rörelse, spetsade sig på honom. Och Leo uppbådade varje uns av sin självbehärskning, höll igen och lät henne röra sig mjukt och prövande, höja och sänka sig över honom tills åtrån drev henne till allt snabbare rörelser. Hon kastade sig mot honom i en ursinnig rytm, red honom hårt och ännu hårdare med en vildhet som stred mot allt han visste om henne, tills hettan exploderade och orgasmen uppslukade henne.

Hennes kropp slöt sig om hans medan spasm efter spasm grep henne och smälte dem samman i svallande vågor, och till slut föll hon ihop över hans bröst medan urladdningens efterdyningar sakta förklingade.

Ensam i sin svit satt Gemma hopkurad på en välstoppad schäslong vid fönstret. Bredvid henne stod en flaska Cristal i en ishink. Framför henne på den magnifika Aubussonmattan låg papperen med filmschemat och hennes anteckningar. Då och då tog hon en klunk ur champagneglaset medan hon metodiskt arbetade sig igenom högen av papper.

190

Allting gick bra, nästan alltför bra, tänkte hon och tog helt vidskepligt i trä – det snidade armstödet på schäslongen. Inga större katastrofer, inga oförutsedda olyckor, inga nervsammanbrott ... i alla fall inte ännu. Skådespelaren som hade Renfields roll vägrade envist att äta levande spindlar vilket Racine insisterade på. En av sminköserna hade grälat med sin pojkvän, som var kameraman, och flytt hem till England. Tre av filmarbetarna hade blivit gripna för fylleri och störande uppträdande i Carnac, och flickan som spelade Mina hade blivit allergisk mot något och fått vanprydande röda utslag som vållat problem med kontinuiteten i filmen.

Men det var smärre missöden, avgjorde Gemma. Utom kanske problemet med Renfield. Fanns det någon fransk lag som förbjöd grymhet mot djur? Omfattade den i så fall även insekter? Men nog skulle väl Racine kunna övertalas att i stället använda de gräsligt naturtrogna plastspindlar som rekvisitaavdelningen hade skaffat fram?

Ännu mer häpnadsväckande var det att de mer eller mindre hade hållit tidsschemat. Racine var en skoningslös perfektionist som kunde ägna timmar åt att fånga det perfekta ögonblicket, men han hade ändå lyckats hålla tiden.

Gemma sträckte på sig och slog upp mer champagne medan hon fortsatte att studera anteckningarna. Två veckor till, så skulle inspelningarna på plats vara avslutade, tänkte hon och lade för säkerhets skull fingrarna i kors. Hon kastade ner några påminnelser i marginalen och samlade sedan ihop papperen.

En blick på klockan sa henne att den redan var över sju. Gabrielle hade sagt att Jay Stone skulle komma tillbaka från Paris i kväll och att hon och Leo skulle äta middag med de andra i orangeriet. Gemma funderade på vad hon skulle ta på sig. Flera av Gabrielles klänningar hade numera funnit vägen till hennes garderob, och i kväll var det nog rätt tillfälle att klä upp sig.

Men för vem? tänkte hon småleende. Gabrielle hade visat sig ha ett oroande inflytande på mer än ett sätt. Där var det svarta, paljettbesatta fodralet med smala axelband som var farligt sexigt; den saffransgula sidenklänningen med vacker, vid kjol och snålt tilltaget liv; den flamröda sammetsklänningen som smög sig tätt intill kroppen från halsen till tårna, sedesam och avslöjande på samma gång.

Hon öppnade klädskåpet och bläddrade igenom siden- och sammetsplaggen. Det skulle vara varmt i orangeriet. Till slut tog hon ner den vita sidenklänningen som hon hade haft på sig den händelserika natten med Gabrielle och Leo.

Inte konstigt att hon ibland tyckte att hon rörde sig mellan två världar, tänkte hon och synade sin spegelbild. Varje dag lämnade hon den dunkla overkligheten i "Vampyrens berättelser" för att återvända till den vräkiga lyxen i slottet, där minsta nyck tycktes kunna uppfyllas med bara några ord i lokaltelefonen.

Ja, de rika var annorlunda, avgjorde hon, slätade till klänningslivet över brösten och kände bröstvårtorna resa sig. Mycket annorlunda.

Hon gick genom den gyllene korridoren i det mjuka, honungsgula skenet från kristallamporna på väggarna. Gradvis började hon lära sig hitta i slottets labyrinter, men det fanns fortfarande många oväntade skrymslen och gångar som hon inte hade utforskat. Till orangeriet hittade hon i alla fall, och när hon öppnade dörren och steg in i den lummiga lövsalens fuktiga atmosfär blev hon förvånad när hon såg att ingen var där.

Hon stannade vid en jättelik, knotig trädstam och andades in den mättade doften av varm jord och grönskande växter. När hon böjde sig ner för att syna en orkidé i mossan fick hon en känsla av att hon var iakttagen. Hon tittade upp och såg rakt in i ett par ondskefulla, röda ögon.

En orm slingrade sig runt trädstammen, en fuktigt blänkande reptil i svart och grönt. Gemma frös till is. Ormen fixerade henne onaturligt intensivt, med rubinröda ögon som verkade tomma och döda. Hon vågade knappt andas. Men så blev hon medveten om hur stilla ormen var, hur livlöst dess fjäll glimmade, och förstod att den var konstgjord. De ondskefulla ögonen bestod faktiskt av rubiner, och fjällen av jade och onyx.

En smula skakad tog hon ett steg bakåt och krockade med Jay Stone.

"Åh, förlåt. Jag ...", började hon.

Han hade sett vad hon tittat på och lutade sig fram för att syna ormen närmare.

"Ännu ett av Leos bisarra konstföremål", anmärkte han. "Verkligen naturtrogen. Inte konstigt att du blev rädd. Du tror väl inte att han håller sig med levande kräldjur också? Jag avskyr ormar."

"Hoppas verkligen att det inte finns några här i alla fall", sa Gemma med en rysning. "Jag gillar dem inte heller."

"Men nog är den vacker", fortsatte han och granskade ädelstensormen. "Ett fantastiskt hantverk. Titta bara på ögonen."

Gemma såg på honom och var tacksam över att han inte hade gjort narr av henne.

"Den skrämde mig bara för en sekund", förklarade hon. "Det kändes som om jag var iakttagen."

Han vände sig mot henne. "Det var du också. Jag tittade på dig."

193

Hon visste inte vad hon skulle svara, och den korta tystnad som uppstod kändes märkligt laddad.

"Ska vi gå till de andra?" sa han till slut och erbjöd henne armen.

"Men de ...", började Gemma och såg sig om. "Jag trodde ..."

"Här borta." Jay ledde henne längs en smal stig, nästan helt dold under stora ormbunkar som vajade när de passerade. Ljudet av rinnande vatten blev starkare, och när de kom ut ur lövtunneln såg Gemma ett litet vattenfall som plaskade ner i en bassäng kantad av stenar.

Vid bassängkanten satt Gabrielle, iförd en eldröd sarong som lämnade större delen av kroppen naken. Hon dinglade med fötterna i vattnet och skrattade åt något som Leo just sagt. Han satt bredvid henne med bar överkropp och byxorna upprullade till knäna. Hans fötter snodde sig om Gabrielles nere i vattnet. Mellan dem stod en ishink av silver, och de höll i var sitt vinglas. En bit bort satt Racine på en sten, fullt påklädd, och läppjade på en ljusgul dryck ur ett fint slipat glas.

Gemmas och Jays ankomst hade skrämt upp två stora arapapegojor som nu skränande flaxade upp till toppen av vattenfallet i en explosion av klara färger.

"Det är otroligt", mumlade Gemma imponerad.

Vattenfallet var upplyst underifrån. Allt var ett spel av ljus och skuggor, av yppig grönska och exotiska blommor. En buffé var framdukad på ett långt, lågt bord, täckt av en vit duk och prytt med hibiskusblommor, kamelior och orkidéer. Skära humrar bjöd fram sina klor på en bädd av sjögräs, krabbor, languster, räkor och ostron låg frestande upplagda bland citroner skurna som rosor. Pyramider av persikor, aprikoser, druvor och ananas reste sig från blåvita porslinsfat.

194

Det var ett exotiskt Eden, en dionysisk lustgård, lummig och sensuellt inbjudande. Det var som om de hade stigit in genom en hemlig port och hamnat på Tahiti, lämnat det vintergrå Carnac för ett tropiskt paradis.

"Kom, Gemma och Jay", ropade Gabrielle, plaskade med fötterna och höjde sitt glas mot dem.

Hon sa något till Leo, räckte honom glaset och gled ner i vattnet. Tvärs över bassängen simmade hon och klev sedan uppför trappstegen som var uthuggna i klippan. Sarin smetade sig drypande våt kring hennes kropp och framhävde de höga, spetsiga brösten med bröstvårtornas mörkare skugga. Hennes svarta hår hängde dyblött över axlarna och nerför ryggen, och det röda sidenet klibbade mot skrevet. Intrycket var oaffekterat sensuellt, nästan exotiskt.

"Visst är det underbart?" utbrast Gabrielle med lysande ögon. "En picknick! Och vattnet är varmt. Jag har försökt locka i Alexei, men han har inte så mycket som stuckit ner tån."

"Det ser faktiskt inbjudande ut", sa Jay och försökte med svårighet hålla blicken ifrån hennes häpnadsväckande bröst. "Jag kanske tar ett dopp senare."

"Ta nu vad ni vill ha att dricka. I kväll är vi informella."

På en bädd av krossad is stod en samling flaskor. Gemma valde champagne, och Jay slog upp ett nästan fullt glas Stolichnaya åt sig innan han satte sig hos Alexei på stenen mitt emot Leo.

"Skål för paradiset!" Han höjde glaset mot Alexei.

"Men vad är paradiset utan en orm?" sa Alexei och smuttade på sitt glas.

"Jag tror jag träffade den på väg in", sa Jay. "Har du inte sett den? Jag visste inte att Fabergé gjorde så stora saker. Den sitter på en trädstam ..."

"Art Deco", avbröt Alexei med en axelryckning. "Leos smak för det symboliska är sorgligt övertydlig. Skönt att det i alla fall inte är ett äppelträd den sitter i. Men vad tycker du om våra två Evor?"

Jay tittade på Gemma och Gabrielle, som vadade i det grunda vattnet i närheten av Leo, uppsluppet skrattande och med sina glas i handen. Gabrielle med sina mörka färger och sin röda sarong var som en tavla av Gauguin. Gemma med sitt otroliga, silverblonda hår utsläppt och den vita sidenklänningen samlad kring låren, kunde ha poserat för Botticelli.

Plötsligt halkade hon och försvann under vattenytan. Sekunden därpå dök hon upp, skrattande och med champagneglaset oskatt. Den vita klänningen smetade sig intill hennes kurvor.

"Som Afrodite på Ludovisi-tronen", sa Alexei tankfullt. "Men hennes bröst är finare."

"Vilken tron?" frågade Jay. "Och vems bröst pratar du om?"

"Gemmas, så klart. Jag hade glömt hur beklagligt okunnig du är om klassisk konst. Ludovisi-tronen är ... Äh, strunt i det."

"Hur går det med filmningen?" frågade Jay och bytte taktfullt samtalsämne. Han tog aldrig åt sig av Alexeis svidande pikar utan tolkade dem som utslag av mannens frustrerade genialitet. För sin del var Jay mer begåvad med aktier och företagsfusioner.

"Strålande", svarade Alexei. "Du kommer att bli tacksam för att jag lät dig behålla några aktier. Den kommer att bli en stormande succé – på många sätt. Har du sett hur hon rör sig nu? Titta på henne tillsammans med Leo och Gabrielle. Så naturlig och avspänd. Nästan mogen. Du kommer att få glädje av henne, det är jag säker på. Redan i natt, skulle jag tro."

Jay tog en stor klunk vodka. "Vet du, Alexei, jag har aldrig riktigt begripit ..."

"Det är jag blott alltför medveten om."

"Titta på dem", fnissade Gabrielle och hällde mer champagne i Gemmas glas. "Så allvarsamma de ser ut. De pratar säkert affärer. Vad tråkiga de är! I kväll ska vi ju festa."

"Vad är det vi firar?" frågade Gemma.

De satt sida vid sida på bassängkanten med fötterna i vattnet och såg efter Leo, som var på väg bort mot Jay och Alexei.

"Allt! Din vampyr, kanske. Och min seger."

"Din seger?"

Gabrielle nickade med glänsande ögon. "Ja, jag tror jag har vunnit. Leo har fallit offer för sin egen taktik. Överraskningsmomentet är det viktigaste i ett anfall. Det var en av era generaler som sa det, och han hade fullkomligt rätt."

"Så du ... hm, överraskar honom fortfarande?" frågade Gemma nyfiket.

"Jag är uppfinningsrik", svarade Gabrielle leende. "Titta nu – han ser på oss, och undrar. Och minns, helt säkert."

Gemma blev en smula röd i ansiktet.

"Ja", återtog Gabrielle med lågmäld röst. "Han undrar vad vi kokar ihop och hur natten kommer att sluta." Under vattnet snodde hon sin fot om Gemmas och gned sakta och sensuellt mot hålfoten. "Och Jay iakttar oss också, och Alexei med, tror jag. Tänk dig, Gemma ..."

Hennes röst dog menande bort.

"Det kallar jag inte en fest, utan en orgie!" svarade Gemma i lätt ton. Men nu när orden hade blivit sagda var det omöjligt att inte fundera på hur det skulle kunna bli, hur det skulle kännas.

"Och så din mystiske älskare förstås", sa Gabrielle mjukt. "Som inte var Leo, visade det sig."

"Nej. Men hur kan du veta det?"

"I så fall skulle du aldrig ha gått den där natten."

"Åh. Kanske inte. Jag vet inte."

Gabrielles fot smekte fortfarande hennes hålfot, väckte minnen och eggade henne.

"Har jag chockerat dig?" frågade Gabrielle. "Det var bara en förflugen tanke. Kom nu, så går vi och äter, och vi talar inte mer om det där om det besvärar dig."

Gabrielle reste sig graciöst och gick fram till buffén medan hon ropade på männen.

Gemma satt kvar en stund och drack ur champagnen medan hon höll ögonen på Jay och Leo som kom klivande över klipporna. De rörde sig båda med självsäker, naturlig grace. Jay var lite kortare än Leo och en aning kraftigare byggd. Han hade knäppt upp skjortan nästan till naveln och rullat upp ärmarna, så att man såg hans muskulösa underarmar och brunbrända bröst. Leos figur var mer elegant, men Jays kropp utstrålade en sexig, tilldragande virilitet.

Gemma hade märkligt lätt för att föreställa sig dem nakna, omfamnande henne, Leo bakifrån och Jay framifrån. De smekte henne, avsökte hennes kropp med hårda händer och styva pittar ...

Så skrattade hon nästan åt sina fantasier, men när hon tittade upp var Alexeis blick fäst på henne. Den var på en gång gäckande och hånfull, hotande och retsam och gränslöst utmanande. Blicken kändes som ett piskrapp. Och den fick något att vakna inom henne, en stilla undran som snabbt förvandlades till visshet.

Hon mötte lugnt hans blick och log tillbaka, ett dröjande, vällustigt leende, innan hon reste sig för att sälla sig till Gabrielle.

198

Avsiktligt höll hon ryggen vänd mot honom, men hon visste utan skuggan av tvivel när han hade gått därifrån. Själva luften tycktes bli lättare att andas.

"Alexeis nyckfulla humör", sa Leo lätt. "Nej, Gabrielle, låt honom gå om han vill."

De sträckte ut sig som romare runt det låga bordet, vilande mot stora, bjärt färgade dynor. Vinet och samtalet flöt ymnigt medan de vrängde saftigt, vitt kött ur klor och stjärtar och undan för undan demolerade den elegant upplagda buffén.

Men under skratten löpte en sträng av sensuell medvetenhet, klar och omisskännlig. Gemma blev inte illa till mods när hon kände det utan accepterade det utan hyckleri. Det var naturligt, otvunget och harmlöst. Hon hade fattat sitt beslut i samma stund som hon mötte Alexei Racines blick över klippbassängens krusiga, blå vatten. I natt skulle hon ligga med Jay Stone, pröva sin andra drömälskare. Någon förförelse behövde det knappast bli. Hon kände hans blickar på sig, en varm och lysten granskning som dröjde vid hennes bröst och drogs till stället mellan hennes lår.

Hon lutade sig bakåt mot kuddarna och tuggade på en räka medan hon lät fantasin löpa fritt, föreställde sig vilda och osannolika parningsakter, och trots att det inte var på allvar blev hon upphetsad.

"Bah!" utbrast Gabrielle och doppade fingrarna i vattenskålen som stod bredvid henne. "Jag är alldeles för kladdig om händerna för den här lilla pytsen. Nu ska jag skölja av mig ordentligt, i bassängen. Kommer du, Gemma?"

Gemma tvekade bara en sekund. "Ja, jag kommer."

Hon kände att Jay och Leo följde dem med blicken när de gick ner till vattnet. När Gabrielle tog av sig klänningen blev hon inte det minsta förvånad.

Obesvärat gled Gabrielle ner i vattnet och ropade på henne.

"Hoppa i, Gemma! Det är härligt."

Gemma lät den vita klänningen falla kring fötterna och visste att två par manliga ögon girigt gled nerför hennes rygg och ben. Trotsigt klev hon ur trosorna också och lät dem se en skymt av stjärten innan hon klev ner i vattnet.

Det kändes som en varm, flytande omfamning. Bassängen var inte djup, bara så att vattnet porlade kring hennes bröst när hon stod på botten. Gabrielle flöt på rygg med sina rosiga bröstvårtor ovanför ytan och könshårets mörka plym fullt synlig.

"De kommer snart i", sa Gabrielle så lågt att det knappt hördes över strilandet från vattenfallet.

"Ja, jag vet", svarade Gemma lika tyst.

"Är det vad du vill?" frågade Gabrielle och slöt lojt ögonen.

"Jag vet inte riktigt." Men Gemmas kropp spände sig redan i förväntan. Det var som om varje erotisk episod sedan natten i forngraven hade lett fram till detta ögonblick. Ändå var det blicken från Alexei Racine som hade beseglat beslutet inom henne.

"Det är inte så allvarligt, Gemma. Det är en lek, inget mer. Man kan bestämma reglerna allt eftersom. Det är nog det som är hemligheten."

"Ja, kanske det", instämde Gemma.

Ensam i visningsrummet såg Alexei Racine på filmklippen och frös filmen i det ögonblick då den demoniske älskaren sänkte huvudet mot kvinnans vita strupe. Ja, det var perfekt, avgjorde han. Skrämmande men eggande och djupt, mörkt erotiskt.

Han kände ett stort lugn och samtidigt en häftig glädje, precis som ögonblicket efter en orgasm, uttömd men ändå upprymd. Och det berodde inte enbart på den fulländade scenen på filmduken framför honom.

Han lät tankarna vandra och log vid minnet av Gemmas leende, vällustigt och trotsigt, när hon hade rest sig från bassängkanten. Han hade anat en visshet i henne, känt hennes vetskap växa, en instinktiv vetskap som snart skulle ersättas av insikt om sanningen.

Höjdpunkten skulle komma snart, och efter den upplösningen, utredandet av den sensuella härvan. Men han var inte helt nöjd. Någon distraktion, någonting missledande, någon sorts poäng behövdes. Ett sinnligt villospår.

Gemma flöt på rygg med slutna ögon och hörde skratten när Jay och Leo kom plaskande ut i bassängen. Hon gav till ett skrik av spelad förargelse när en hand slöt sig om hennes vrist och drog ner henne under ytan. Alla fyra var högljudda och uppspelta, dolde sin upphetsning under barnslig lekfullhet medan de plaskade omkring och doppade varandra.

Arapapegojorna skriade och flydde med flaxande vingar medan skratten blandades med vattenfallets rytmiska brus. Till slut föll Gemma ihop intill bassängkanten, förblindad av håret som hängde i ögonen på henne. Då kände hon en stödjande, varm manskropp bakom sig.

"Visst är det kul?" sa Jay mot hennes öra. Han var också andfådd, och hon kände hur hans bröst hävde sig.

Hon slappnade av mot honom medan deras andetag lugnade sig och deras nakna kroppar blev medvetna om varandra. Hon kände hans kuk hårdna mot sina skinkor, och han flyttade sig undan, kanske generad över detta påtagliga bevis på sin upphetsning. Hon

201

vred på sig, följde efter honom och lät skinkorna stryka mot det växande ståndet.

Det kanske var för att han befann sig bakom henne, ansiktslös, välbekant och ändå anonym, som hon kände sig så ytterligt fri och hämningslös. Detta var Eden, fritt från synd och skuld. Hon blundade.

Det varma vattnet kluckade mot hennes bröst när hon rörde sig mot honom, fångade hans kuk mellan låren, och hon hörde att han kvävde ett stön.

"Ja, det är det", sa hon lugnt.

Hans lem var lång och hård och tryckte mot springan mellan hennes skinkor, täckte hennes anus, stötte mot de ömtåliga vecken som skyddade hennes slidöppning. Kukhuvudet var nästan ända framme vid klitoris. Hon skulle bara behöva gunga lite för att uppnå den ljuva kontakt hon längtade efter.

Men hon stod orörlig och väntade medan hennes kropp reagerade på de förväntningar som väcktes av hans styva kuk mellan hennes lår. Underlivet började kännas tungt och brösten svällde. En lång stund stod han också stilla. Det enda som rörde sig var hans alltjämt svällande erektion.

Hon lutade sig bakåt och lade huvudet mot hans axel, lättad över att han var känslig och återhållsam nog att låta henne bestämma takten. Hans händer vilade stödjande på hennes höfter, och till slut sträckte hon sig ner i vattnet, lindade fingrarna om hans och förde dem upp till sina bröst.

Tillsammans kupade de händerna om de yppiga kullarna, höll upp de svullna bröstvårtorna ovanför vattnet och smekte dem rytmiskt med tummarna. Hon kände hans kropp skälva till mot hennes.

"Herregud, Gemma", andades han mot hennes hals.

"Nej, tyst", mumlade hon.

Det behövdes inga ord. Hon ville ha tystnad, ville bara känna hans fingrar mot sina bröstvårtor. De var hårda och blodfyllda nu, och hettan från dem spred sig neråt grenen. Hon förstod att han kunde känna den klibbiga värmen från hennes savande sköte mot sitt stånd.

När hon slog upp ögonen stod Leo och Gabrielle och omfamnade varandra nedanför vattenfallet. Leos händer var mellan hennes ben. Nu föll Gabrielle på knä och tog honom i munnen. På något sätt förhöjde det Gemmas njutning att se Leos elegant svängda penis försvinna in i Gabrielles mun och komma ut igen, röd och slipprigt våt.

Hon såg ner på sina bröst, såg fingrarna som kramade henne och sina egna händer som nästan försvann under Jays stora. En av hans tumnaglar var lite ojämn och skrapade mot hennes uppsvällda bröstvårta, vilket intensifierade hettan som flöt genom henne.

I detalj mindes hon plötsligt hur hennes drömälskare hade drivit henne till klimax den där natten i forngraven enbart genom att suga, nypa och bita i hennes bröst. Instinktivt ökade hon trycket, rullade bröstvårtorna mellan tummar och pekfingrar, nöp hårdare och hårdare i dem tills njutningen blev till smärta och smärtan till en rödrosig glöd som uppslukade hela hennes kropp.

Orgasmen närmade sig snabbt, växte som en våg i henne, och hennes inre väggar försökte desperat krama om något hårt som inte fanns där.

Han måste ha känt hennes darrningar, måste ha märkt när hon kom, för hans andning blev hastigare. Men han förblev orörlig mot hennes skälvande lår.

En häftig triumf blandade sig med efterdyningarna av orgasmen, en varm upprymdhet som stannade hos henne även när kroppen började slappna av.

Impulsivt gungade hon med höfterna, kände honom treva över slidöppningen och sedan glida in. Han var stor, så stor att hon måste tänja sig för att kunna ta emot honom, och hon spjärnade mot den plötsliga, bedövande stöten.

För en stund stod hon stilla och lät kroppen inse vad hennes undermedvetna redan hade accepterat. Det var inte han.

Han stötte till igen, tvingade henne att ta emot mer, och hon flämtade när han trängde in djupt i henne. Stilla och passiv stod hon där med hans starka kropp arbetande mot sin.

Hennes kropp vaknade upp igen, hängav sig åt den drivande rytmen. Men när han drog sig ur och beredde sig att tränga in på nytt, kastade hon sig ifrån honom och dök under vattnet.

Skrattande kom hon upp några meter bort och ruskade på huvudet. Han dök efter henne och fick tag om hennes fot. Nästan hårdhänt halade han in henne tills de stod öga mot öga. Uttrycket i hennes ansikte var retsamt och spelat oskyldigt, och han blev fullständigt avväpnad och brast i skratt.

"Är det för tidigt, eller vill du göra det på något annat sätt?" frågade han och kysste henne ivrigt.

Hennes bröst pressades mot hans bringa och hans stånd tryckte hårt mot hennes mage.

"Vi får väl se", sa hon med en löftesrik blick.

Sedan sänkte hon handen och grep tag om hans kuk. Han ryste till vid hennes beröring. Hon tog ett fastare tag, njöt av att känna den elastiska styrkan i hans darrande lem.

Upprymdheten efter orgasmen, efter hennes upptäckt, bubblade ännu i henne.

"Överraska mig", sa hon och lösgjorde sig på nytt från honom.

Han simmade efter henne mot den stora klippan där Leo och Gabrielle låg till hälften nere i vattnet. Gemma gjorde halt vid Gabrielles sida.

"Nå, Gemma, visst är det en rolig lek?" sa Gabrielle mjukt.

"Väldigt rolig", svarade Gemma och kände Jay tätt bakom sig.

"Som sagt, det beror på överraskningsmomentet", mumlade Gabrielle.

9

Det var först långt senare som Gemma kom att inse hela vidden av den sinnliga galenskap som grep henne den natten, som fick henne att vilja pröva varje upptänklig kombination och ställning.

Hon fick erfara hur det kändes att bli älskad av två män samtidigt, när Jay tog henne framifrån och Leo bakifrån. Den ene gjorde en framstöt samtidigt som den andre drog sig tillbaka. De urholkade henne och fyllde upp henne på en och samma gång och tvingade fram en orgasm som tycktes pågå i evigheter.

Hon fann sig stå på knä mellan Gabrielles lår i färd med att utforska de mjuka, skära blygdläpparna med munnen medan Jay bearbetade hennes anus med tungan och Leo sög på hennes bröstvårtor.

Hon låg i Gabrielles armar, och de kysstes och nafsade på varandras svullna läppar medan männen kysste de känsliga hudvecken mellan deras särade ben.

Hon skrattade när Jay lade ner henne på dynorna bredvid bordet och dukade upp till en ny fest. Han fäste hummerklor i hennes bröstvårtor, pressade citron över hennes kropp och slickade henne ren. Lite av saften sipprade ner mellan låren, och svedan i klitoris framkallade en orgasm så våldsam att hon skrek högt.

Alla fyra tycktes fångade i en erotisk strömvirvel som denna natt hade Gemma som centrum. Hon rycktes med av en obetvinglig frenesi, ett översvallande, skamlöst begär. Uppenbarelsen att det var Racine som var hennes drömälskare hade tänt något oförutsägbart, vilt och omättligt inom henne. Hennes kropp stod i brand, hungrade och törstade efter varje ny förnimmelse, vidöppen och glupsk, och Jay och Leo och Gabrielle mättade henne, släckte hennes törst, för att sedan väcka den på nytt.

Det behövdes bara att en av dem fick orgasm och stönade "nej, inte mer nu, jag orkar inte", för att de andra skulle hitta på nya metoder att blåsa nytt liv i den slocknade lustan.

Men till slut falnade glöden och smekningarna blev lugnare. Passionen ersattes av en varm och skön känsla av närhet. De låg hopslingrade tillsammans i ett nystan av lemmar och svettig, klibbig hud och lät lidelsen övergå i gemenskapens värme.

Gemma var sömnig och behagligt dåsig och kände en ljuv värk i hela kroppen. Hon rörde sig knappt när Jay till slut reste sig på ostadiga ben och lyfte upp henne i famnen.

"Jag ser till att hon kommer i säng", sa han med tjock röst till Leo.

Leo nickade en smula motvilligt. "Gör det. Jag tar hand om Gabrielle."

Med armarna om Jays hals borrade Gemma in huvudet i hans halsgrop och somnade på vägen. Hon vaknade till när han lade ner henne i den stora himmelssängen i hennes rum.

"Ska jag stanna?" frågade han när han stoppade om henne.

Hon såg honom i ögonen. De var bruna med ambragula fläckar, och det fanns små linjer i ögonvrårna. Han ville stanna, det kunde hon utläsa i hans blick.

"Nej", sa hon mjukt. "Men tack ska du ha."

Han böjde sig ner och kysste henne på munnen. Det var en mild och gränslöst öm kyss. "Gemma, jag ..."

Hon hejdade honom genom att lägga fingret mot hans läppar. "God natt, Jay."

"God natt, Gemma."

Hon kurade ihop sig under täcket och försökte återfinna den skönt dåsiga känslan, men den hade jagats på flykten av kyssen han gett henne, av blicken i hans ögon.

Hon vände sig på sidan en stund och lade sig sedan platt på rygg. Kudden var för hård. Hon puffade upp den och lade sig ner igen. Täcket var för tungt. Hon sparkade ner det till fotändan men började frysa och drog det över sig igen. Höger vrist började klia och ögonen sved.

Hon vände sig på andra sidan och tvingade sig att blunda och andas djupt. Lösryckta bilder blixtrade för hennes inre syn. Jays tjocka, blodfyllda lem, glänsande av saliv och med en droppe sperma på ollonet som gled in mellan hennes läppar. Gabrielles skära blygdläppar när hon särade benen. Leos svällande ryggmuskler när han borrade sig in i henne. De glimmande, oseende rubinögonen hos ädelstensormen som slingrade sig om trädet.

Och blicken i Alexei Racines kalla, grå ögon när han såg på henne tvärs över klippbassängen.

Den blicken hade hon känt igen, och hon mindes plötsligt var hon sett den förut – i en dröm hon haft hemma i London. Det verkade så länge sedan nu. Han hade lyft upp huvudet från hennes lår med blodfläckade läppar, och ögonen hade lyst silvergrå av triumf när mardrömsorgasmen överrumplade henne.

Med en grimas satte hon sig upp i sängen, flyttade på kuddarna bakom sig och försökte tänka på något annat. För att få ett glas varm mjölk behövde hon bara säga ett par ord i snabbtelefonen. Eller också kunde hon hälla upp ett glas konjak ur karaffen som någon omtänksamt placerat på sängbordet. Hon kunde ta ett hett bad, låta vattnet strila ur gulddelfinerna och tvätta bort spåren efter nattens övningar.

Suckande sträckte hon ut handen för att tända kristallampan men hejdade sig när hon erinrade sig en annan natt då hon gjort likadant – hon mindes det vilda ursinnet i hans sätt att tvinga sig på henne, den förödande hettan i deras älskog, den våldsamma orgasmen. Och det korta efterspelet när han hade anat hennes avsikt och varnat henne för att bita honom. "Psyche" hade han kallat henne.

Irriterat undrade hon om det fanns någon djupare mening i myten, någon djup psykologisk sanning, någon sorts jungiansk arketyp.

Resolut tände hon lampan och tittade på ormoluklockan. Fyra på morgonen – ingen bra tidpunkt att fatta beslut. På bordet stod ett emaljerat och vackert dekorerat cigarrettskrin. Den pastorala scenen föreställde några volangprydda damer i peruk som satt vid en bäck. Till skrinet hörde en matchande bordständare. Gemma tog en cigarrett och tände den.

Det kanske var det enda man kunde göra under de döda, kyliga timmarna före gryningen, i det livlösa vapenstilleståndet mellan dag och natt, när man inte kunde sova. Röka. Och vanka. Och grubbla.

För en stund ångrade hon att hon inte hade bett Jay att stanna hos henne. Varför hade hon inte velat det? Men hon förstod att det hade berott på värmen i hans kyss, på de små rynkorna kring ögonen. För ett kort ögonblick hade han blivit en verklig person för henne, inte bara en kropp.

Så hon satt där och rökte och begrundade för första gången den fundamentala sanning som kvinnorna alltid har känt till och som männen aldrig har velat inse: att tillfälligt, meningslöst sex inte existerar.

Alla hennes älskare hade format henne, förändrat henne. De klumpiga, själviska männen i hennes ungdom som hade lämnat henne likgiltig, hade gjort henne till den kvinna som gett sig åt en främling på jordgolvet i forngraven. Nicholas Freres lättsinniga lekfullhet som hade fått henne att skratta och få orgasm på samma gång, hade lärt henne att betrakta sex som ett behov lika grundläggande som mat. Gabrielles och Leos sinnliga raffinemang som hade lett till orgien i natt, hade gjort henne till ... vad då?

Och mitt i detta sensuella spindelnät satt Alexei Racine och spann den erotiska silkestråd som band dem alla samman.

Hon fimpade cigarretten, och av en oförklarlig impuls tog hon på sig morgonrocken, gick in i det angränsande rummet och lade sig i kistan, där hon omedelbart föll i en djup, drömlös sömn.

Flera timmar senare vaknade hon tvärt. Först visste hon inte var hon befann sig, men så reste hon sig på armbågen och smålog när hon kände igen omgivningen. Medan hon tog sig upp ur kistan undrade hon vad det var som hade förmått henne att lägga sig i den. Hon hoppades verkligen att hon inte höll på att utveckla ett sinne för ironi.

Snabbt duschade hon, tog på sig ett par ljusbruna jeans och en vit skjorta och gick till orangeriet för att äta frukost. Hon hade övervägt att be om en frukostbricka till rummet, men efter sin sömnlösa natt ville hon komma därifrån.

Till hennes förvåning satt Gabrielle redan vid bordet med en kopp kaffe och en croissant. Hon var klädd i en skräddarsydd, elfenbensvit dräkt som gav hyn en varm lyster och framhävde de blå skuggorna under ögonen. Hon log mot Gemma, ett varmt, vänligt leende som inte verkade det minsta besvärat.

"Hur mår du, Gemma?" frågade hon när husan kom in med nybryggt kaffe.

"Bara bra. Och Marie, jag skulle vilja ha något annat i dag. Våfflor med sirap, och korv, tack, och lite bacon också. Kan du översätta, Gabrielle?"

"Vilken matlust du har i dag då!" utbrast Gabrielle. "Inga sviter efter gårdagen, alltså?"

Gemma läppjade på kaffet och övervägde sitt svar. Mellan benen kände hon fortfarande en dov värk, men annars mådde hon utmärkt, åtminstone fysiskt. "Nej. Själv då?"

"Åh, jag mår fint. Vissa konsekvenser har den här natten fått för min del, men de är inte negativa. Tvärtom." Hon lät bestämd.

"Vad menar du?" frågade Gemma samtidigt som våfflorna anlände.

"Jag tänker återvända till Paris, till min make."

"Va?" utropade Gemma helt överrumplad.

"Just det. Låt oss säga att det är en strategisk reträtt. Om det nu kallas reträtt när man har segrat. Hur som helst reser jag till Paris nu på förmiddagen."

"Men varför? Och vet Leo om det?"

"Det var härligt i natt, eller hur? En triumf, en *tour de force*, oförglömligt."

"Alldeles oförglömligt", instämde Gemma lite torrt.

"Så nu är han min, förstår du. Minnet finns kvar hos honom. Och om jag vill ha honom igen någon gång, kommer han absolut till mig. Är jag inte listig?"

"Jo, det vill jag lova", sa Gemma förvånat. "Men vet Leo om det?"

"Tja ... Som sagt är det enbart ett fysiskt förhållande vi har. Jag har skrivit en lapp till honom."

"Finns det verkligen något sådant som ett rent fysiskt förhållande?" frågade Gemma, hällde sirap över våfflorna och stoppade en tugga i munnen.

"För mig finns det", svarade Gabrielle. "Men jag är förstås fransyska och mycket praktisk. Det kanske inte är detsamma för dig?"

Gemma teg.

"Men din kärleksaffär är förstås annorlunda", tillade Gabrielle milt.

"Kärleksaffär?" Gemma spetsade en korv på gaffeln.

"Du och Alexei."

Gemmas hjärta slog ett extra slag. "Det kanske inte är han", sa hon men lät inte övertygad.

Gabrielle höjde på ena ögonbrynet. "Det måste det ju vara! Jag tycker det här är högst intressant. För det är inte enbart ett fysiskt förhållande. Han leker med dina sinnen också. En egendomlig lek."

Leo Marais satt och åt frukost i sin privata flygel. Framför honom stod en Bloody Mary som han hoppades skulle kurera baksmällan, och ett fat ostron som han hoppades skulle återställa hans sexuella kraft. Bredvid honom satt Jay Stone, som satte i sig bacon och ägg med vad Leo ansåg vara en nästan oanständig aptit.

Vid Rodin-skulpturen av det älskande paret stod Alexei Racine och smekte förstrött kvinnans vita marmorlockar, medan han ironiskt betraktade de två andra männen.

"Syndens lön", sa han retsamt.

Leo nedlät sig inte till att svara.

"Du tror väl inte på synden, Alexei", sa Jay och dränkte sina stekta ägg i ketchup. Leo tittade äcklad bort.

"Var har du fått det ifrån?" sa Alexei. "Naturligtvis tror jag på synden. Livet skulle vara olidligt trist utan den. För att inte tala om sex."

"Sex och synd har inget med varandra att göra", invände Jay och torkade upp äggula från tallriken med en bit rostat bröd.

Leo tog en stor klunk av sin Bloody Mary.

"Så amerikanskt! Det är klart de har", sa Racine tillrättavisande.

Så tröttnade han tydligen på ämnet, lämnade skulpturen med en sista smekning över kvinnans svällande bröst och slog sig ner vid bordet hos de andra.

"Tråkigt att affärerna tvingar dig till Paris, Jay", sa han.

"Vad nu då?" sa Jay häpet. "Mina affärer i Paris är avslutade."

"Tyvärr måste jag säga emot dig", svarade Alexei oberört. "Viktiga affärer tvingar dig dessvärre att resa härifrån."

"Varför?" undrade Jay misstänksamt.

"Det var ju bara meningen att du skulle göra ett kort inhopp", påminde Alexei honom milt.

Jays ansikte blev uttryckslöst. Det var en min som hans affärsmotståndare kände och fruktade. Han sköt undan tallriken.

"Vet du, Alexei, när du först lade fram den här invecklade, vanvettiga planen ..."

"Så gick du med på den utan att tveka. Det vore småsint av mig att påminna dig om de omständigheter som satte dig i skuld till mig." Racines ögon var nu bedövande kalla.

Jay var den som först tittade bort.

"Så det ska jag låta bli", tillade Alexei lågmält.

"Det är bara det att jag faktiskt gillar henne", sa Jay tamt och stirrade ner i sin kaffekopp.

"Jaså."

Leo hade äntligen återfått talförmågan och vände sig till Alexei. "Måste han åka på grund av det som hände i natt? Kör du bort en gäst från mitt hem? Kanske jag också kommer att upptäcka att jag plötsligt har fått brådskande affärer i Paris?" Greve Marais tonfall var svidande ironiskt.

"Vet du vad, Leo", sa Alexei med skuggan av ett leende, "det skulle faktiskt inte förvåna mig."

Leo ringde efter ännu en Bloody Mary.

Eftersom det var söndag skulle de inte arbeta med filminspelningen. Gemma avundades nästan Gabrielle som kunnat fly till Paris. Hon mötte den allestädes närvarande Henri och frågade tveksamt om bussförbindelserna till Carnac. I stället erbjöds hon en limousin med privatchaufför, eller vilken som helst av de sjutton bilar som Leo hade vid slottet. Hon valde en Jaguar.

Lyxen i slottet kändes beklämmande denna morgon. Hon drog sig inte direkt för att träffa Leo eller Jay igen, men hon fasade för att stöta ihop med Racine. Att ströva runt i Carnac, förlora sig i dess mystiska, förhistoriska atmosfär, eller köra ännu längre bort, föreföll henne oändligt mycket mer tilltalande än att stanna i sin svit och arbeta.

Gabrielle hade redan rest, och gett Gemma den vita sidenklänningen som avskedspresent. Gemma log ironiskt för sig själv, medan en tjänstepojke körde fram Jaguaren. Hon började få en riktigt bisarr samling erotiska souvenirer: först den svarta läderdräkten som Pascaline hade lånat henne till nyårsmaskeraden, och nu den veckade, vita sidenklänning hon hade burit när hon varit tillsammans med Gabrielle och Leo – och med Jay.

Hon funderade på att gå till sin stuga, men avfärdade idén. Stugan var något som hon ville hålla hemligt och skydda mot intrång, en tillflyktsort som inte lockade henne i hennes nuvarande sinnesstämning.

"Mademoiselle?" Den unge mannen stod och väntade och höll upp Jaguarens dörr.

"Tack", sa Gemma frånvarande. "*Merci,* menar jag."

Bilen var en dröm att köra, kraftfull och lättstyrd och bekväm till och med på grusvägarna. Hon motstod frestelsen att pröva hur snabb den var, för det var lätt att villa bort sig på småvägarna runt Chateau Marais.

Förmiddagen var sval och vindstilla. En blek sol lyste över de karga åkrarna. Efter att ha tagit fel flera gånger hittade hon vägen till Menec-menhirerna, en till synes oändlig rad av mer än tusen uppresta stenar som sträckte sig över fälten.

Gemma parkerade utanför området. Sist hon varit här hade det varit sommar, hett och soligt, med flockar av turister kring menhirerna, barn som sprang omkring överallt och köpte glass från en bil som också saluförde små målade stenar som souvenirer.

Nu var platsen öde. En djup stillhet tycktes utstråla från själva stenarna. Deras form var oförställt fallisk, och hon visste att upprättstående stenar antogs ha en maskulin innebörd kopplad till fruktbarhet. De påminde henne om ristningen av jägaren i forngraven, hans massiva spjut, eller om det var en penis, och natten då Racine hade hittat henne där.

Men hon visste också att skälet till att stenarna rests för sextusen år sedan var okänt och deras syfte dunkelt. Lika dunkelt som Alexei Racines skäl att älska med henne i forngraven den där natten.

Hon steg ur bilen, gick över vägen och fortsatte in genom grinden. Djupt försjunken i tankar vandrade hon runt bland menhirerna. Hon skulle förstås kunna konstruera någon fantasifull teori, ungefär som arkeologerna och etnologerna hade gjort ifråga om de upprättstående stenarna; men de stod ändå där lika gåtfulla och omöjliga att tolka. Precis som Alexei Racine, misstänkte hon.

Ett faktum som dock inte gick att komma ifrån var att han hade etsat in minnet av sin kropp i hennes och vrängt den ena orgasmen efter den andra ur henne med sin mun, sina läppar, sina händer och tänder, sin hårda stake.

Och hon hade njutit av det. Vältrat sig i det. Känt begär efter det.

Ett begär som fortfarande fanns kvar.

Olustig till mods återvände hon till bilen och körde sin väg.

Alexei Racine lade sig till rätta i den öppna kistan och andades in den svaga doft som dröjt sig kvar på satängkudden – doften av Gemma. Han drog handen över träets svartlackerade yta och insåg att han började bli riktigt fäst vid kistan. Kanske Leo skulle vilja sälja den till honom, eller så kunde han låta tillverka en egen.

Han tilltalades av kistans lockande perversitet, en snedvriden vällust som var dekadent utan att vara morbid. För övrigt var den häpnadsväckande bekväm.

Han föreställde sig Gemma liggande där hans kropp just befann sig, med det tjocka, ljusa håret utspritt över den vita satängkudden där hans huvud vilade, och upphetsningen började pyra i honom. Kanske bättre än hon själv förstod han vad som förmått henne att lägga sig i den, och han frossade i tanken på hennes smärta kropp, utmattad av älskog, vilande mot vitt siden som var lika svalt sensuellt som klänningen hon haft på sig.

217

Han kände att han styvnade vid minnet av hennes bröst som tycktes vara formade efter hans hand, hur tydligt de hade avtecknat sig under klänningens våta siden när hon halkat omkull i bassängen. För ett ögonblick kunde han nästan känna hennes bröstvårtor svälla mellan hans läppar, skrynklas ihop till hårda spetsar, höra hennes lågmälda stön medan han behandlade hennes bröst med tunga och tänder.

Den första natten hade han avsiktligt satt ett märke på hennes vita hud. Han hade velat att hon skulle minnas den förtärande eld han tänt i hennes ådror. Senare hade han undrat hur hon sett ut när hon hade upptäckt den röda halvmånen efter hans tänder, och det grämde honom att han aldrig skulle få veta det.

Vad hade hon känt? Klentro, gissade han, kanske en vördnadsfull fruktan. Men inte skuld, det var han säker på. Hon var för behärskad, för logisk, för intelligent för att besudla njutningen med skuldkänslor, fördärva lidelse med skam. Om hon nu hade lärt sig att uppskatta vällust, vilket han var säker på, visste hon också vilken ren och vital kraft den var och skulle inte försöka nedvärdera den.

Symbolisk som han var sökte han alltid liknelser för abstrakta ting. Lustan var gul för honom, som solens klara, lysande gula färg, het och livgivande. Gemma var som en ädelsten, kylig och hård, och hennes iskalla behärskning var som de gnistrande reflexerna i en diamant när den träffades av ljuset.

En gång hade han roat sig med att slå upp hennes namn i ett lexikon och funnit att en "gemma" var en liten knopp som avskiljs från moderplantan för att gå i frö, en asexuell spor. På sätt och vis hade det stämt på henne – förr.

Men nu hade solen träffat diamanten.

När Gemma lämnat Carnac bakom sig körde hon på måfå i några timmar. En gång stannade hon för att tanka och en gång nere vid havet för att sträcka på benen. Den vintriga Atlanten föreföll lika kall och grå och tom som Alexei Racines ögon, så hon vände tillbaka inåt landet och följde skyltarna mot Vannes. Hon hade inte för avsikt att åka dit, hon njöt bara av att köra.

För första gången slog det henne att bilkörningen på något sätt liknade den sexuella akten. Där fanns förstås de uppenbara, banala parallellerna: växelspaken under hennes hand, lika fallisk som de upprättstående stenarna, och de svaga vibrationerna från motorn som stimulerade hennes kropp.

Men det var mer än så. Att sitta vid ratten ingav henne en känsla av frihet och makt. Spänningen i att köra alldeles för fort låg nära den sexuella upphetsningen. Att förlora sig i ett katt-och-råttaliknande förspel i tät trafik, pila ut och in, gasa och bromsa och förlita sig helt på instinktiva, fysiska reflexer med alla sinnen på helspänn och med vaksamheten riktad mot de andra förarna och ens egna reaktioner.

Det var lite grann som att ligga med en främling, tänkte hon och återfördes genast till Alexei Racine. Var det därför det hade varit så skönt? För att han hade varit en främling, anonym och ansiktslös? För att kärleksakten därmed hade varit fri från ansvar och känsloengagemang?

Nej, det sista stämde inte. Visst fanns det känslor, mäktiga och ofrånkomliga – och obeskrivliga.

Till slut stannade hon vid ett egendomligt vägkafé där McDonald's plast kolliderade med den klassiska franska bistron. Borden var små, ärrade och vingliga med buckliga metallaskkoppar och på tok för små pappersservetter. De stora affischerna ovanför bar-

219

disken avbildade grälla och groteska hamburgare, varmkorvar och skaldjurstallrikar.

Full av onda aningar beställde hon en halv flaska Muscadet och en *moules frites* och slog sig ner vid ett hörnbord. Vinet visade sig vara kallt och upplivande, och musslorna med pommes frites en uppenbarelse. De knubbiga och saftiga musslorna i en pepparstark citronmarinad smakade helt enkelt ljuvligt i kombination med de frasiga potatisstrimlorna, och hon åt glupskt tills bara en hög blanka, svarta skal låg kvar på tallriken.

Då lutade hon sig bakåt, tände en cigarrett och smuttade på sitt andra glas vin medan hon iakttog tonåringarna som svärmade kring den högljudda jukeboxen. En pojke som var längre än de andra fångade hennes uppmärksamhet. Han stod intill en flicka som var mycket kortare än han och fingrade nästan frånvarande på hennes runda stjärt. De stod med ryggen mot lokalen och ägnade sig åt jukeboxen, glömska av att någon kunde se när han drog fingrarna längs baksömmen på hennes snäva jeans, följde klyftan mellan skinkorna och knådade det stramande denimtyget som täckte hennes anus. Flickan tryckte sig mot hans hand med små, nästan omärkliga rörelser.

Gemma tittade bort, medveten om att det börjat hetta i skrevet. Bredvid henne satt ett äldre par och åt under tystnad, den märkliga sortens tystnad man bara hittar hos makar som varit gifta så länge att ingenting återstår att säga. Men deras rörelser var synkroniserade, och båda två verkade ha en väl inrotad medvetenhet om den andras behov som gjorde ord överflödiga. Utan att ha blivit ombedd räckte hon honom saltkaret, och han saltade sina pommes frites. Och så fort hon hade druckit ur sitt glas fyllde han på det ur rödvinskaraffen.

Plötsligt verkade varenda trivial händelse fylld av sexuella undermeningar: servitrisen som lutade sig fram och lyfte upp en bricka så att hennes tunga bröst gungade; den vänskapliga puffen som kocken gav flickan vid disken. Gemma fimpade cigarretten och gick utan att dricka upp vinet.

"Hon har åkt", tillkännagav Leo utan inledning och kom instegande i visningsrummet där Alexei gång på gång studerade klippen. "Hon har åkt tillbaka till Paris." Han lät klentrogen.

Alexei gäspade och stoppade projektorn. Nu såg han att Leo höll en hopskrynklad lapp i handen.

"Vem då?"

"Gabrielle, förstås."

"Och hon lämnade en lapp", observerade Racine med trött cynism. "Vilken kvinna gör inte det?"

"Du visste det!" sa Leo anklagande. "Du sa det till och med i morse."

"Jag misstänkte det", rättade Alexei, reste sig och tände lampan. "Lugna ner dig, min vän. Det är ju bara en kvinna."

"Hon var min kvinna! Och jag var inte färdig med henne."

"Eftersom hon lämnade en lapp kan man nog anta att hon inte är färdig med dig heller", anmärkte Alexei. "Det här är inte likt dig, Leo."

"Det ... retar mig", sa Leo och såg ut som en förorättad greve i varje tum med sina höjda ögonbryn och hakan i vädret. "Det är inte *comme il faut* att ens älskarinna avreser, utan några tårar och förebråelser, och bara lämnar ett meddelande. För att gå tillbaka till sin man!"

Det sista kom, förståeligt nog, med ett mycket kränkt tonfall.

Alexei förde honom milt ut ur rummet. "Du kanske borde skaffa dig en älskarinna utan äkta man", föreslog han. "Sådana brukar ställa till en massa besvär. Äkta män, menar jag, inte älskarinnor ... Men sanningen att säga stämmer det nog på båda."

"Det här kom högst ... oläg ligt", klagade Leo när de kom in i den gyllene salongen där aperitiferna väntade.

"Varför det?" Alexeis ögon var ironiska men tonfallet vänligt. "Det finns väl andra kvinnor som är villiga och tillgängliga."

"Visst", svarade Leo med en axelryckning. "Men Gabrielle ... började bli så intressant."

Racine dolde ett torrt leende och hällde upp whisky i två glas. I det ena tillsatte han vatten och is av hänsyn till Leos baksmälla. Att han var beredd att misshandla fin whisky på det sättet var ett sant tecken på hans medkänsla.

"Det är ett klassiskt knep", påpekade han och räckte Leo hans glas. "Lämna alltid publiken innan den fått nog. Det valspråket kommer nog från den amerikanska vaudevillen, men idén är rent grekisk. Döden i triumfens ögonblick, Kleobis och Biton ..." Med en för honom mycket ovanlig finkänslighet övergav han analogin när han märkte Leos brist på intresse.

Ett klassiskt knep, det hade han själv framhållit för Gabrielle, och ett som sällan slog fel. Det var tråkigt att Leo blivit ledsen – eller bara nervös? – men det hade varit nödvändigt att Gabrielle lämnade slottet före sista akten.

Det var helt enkelt det rätta scenariot för dramats upplösning. I en Shakespearepjäs skulle hon ha blivit galen eller dött, men Racine hade helt enkelt avlägsnat henne från scenen.

"Obegripligt", fastslog Leo och stirrade ner i sin whisky.

"Inte helt och hållet", sa Racine.

I sin luxuösa, vita och guldfärgade sängkammare i Paris såg Gabrielle de Sevigny på medan hennes make klädde av sig. Hennes blick var tillgiven, men hon kunde inte låta bli att jämföra Pierres satta, svartmuskiga lekamen med Leos finmejslade, muskulösa elegans.

Pierre hade blivit stormförtjust över att återse henne och lättad över att kära gamla tant Marthe var så mycket kryare. Gabrielle hade känt ett styng av dåligt samvete för att hon ljugit, men bara ett pyttelitet styng.

Tant Marthe, som var en excentrisk gammal dam med vacklande hälsa, bodde i en liten by i närheten av Nantes och var så gammaldags att hon vägrade att ha telefon i huset. Hon var ytterst användbar som alibi.

Pierre hade fjäskat för Gabrielle och varit bekymrad för att hon såg så trött ut. Nästa gång den gamla damen blev sjuk skulle han leja en privatsköterska, lovade han. Gabrielle blev riktigt rörd. Men tyvärr var tant Marthe så envis och så misstänksam mot främlingar, att det inte kunde bli tal om någon sköterska.

De åt middag på en bistro som specialiserat sig på de rustika rätter som Pierre var så svag för. Precis som hon väntat sig beställde han hemgjord paté, köttgryta och äppelpaj. Som en gest av äktenskaplig samhörighet valde Gabrielle detsamma och blev ganska förvånad över hur mycket hon faktiskt uppskattade de okonstlade smakerna. De drack ett strävt rödvin och flera glas konjak till kaffet, så i slutet av måltiden kände hon sig skönt avspänd.

Pierre, som nu stod i kalsonger, strumpor och skjorta, var i färd med att lägga byxorna i ordentliga pressveck. Gabrielle slöt ögonen och väntade. Om ett ögonblick skulle hon höra honom lägga ifrån sig manschettknapparna i byrån. Ja, där kom gnisslet när han drog ut lådan. Och nu knäppte han upp skjortknapparna, först i högra ärmen, sedan i den vänstra, och till sist nerifrån midjan och upp till kragen. Skjortan skulle han vika ihop och lägga i tvättkorgen innan han tog av sig kalsongerna, som också skulle hamna i tvätten. Sedan skulle han gå in i badrummet och borsta tänderna, fortfarande med strumporna på.

En gång hade hon sagt att det inte fanns någon löjligare syn än en man iförd endast strumpor. Han hade lugnt svarat att badrumsgolvet var kallt och att han ville hålla sig varm om fötterna.

Samlaget som snart skulle följa – ja, där kom klickandet när han stängde locket till tvättkorgen – var lika förutsägbart som alla hans rutiner. Han var en hänsynsfull älskare, samvetsgrann snarare än uppfinningsrik, ihärdig snarare än djärv, men i alla fall öm och omtänksam.

Som om han följde en inre klocka skulle han kyssa henne i cirka två minuter, sedan flytta munnen ner till hennes bröst och suga på bröstvårtorna i tre minuter, och därefter dyka in mellan hennes ben och leta upp klitoris. Den skulle han suga på tills det gick för henne, efter tre eller fyra minuter, och sedan skulle han tränga in i henne. Därpå skulle han stöta ut och in tills det gick för honom, efter fem minuter eller kanske längre om han hade någon regeringsskandal eller politisk kris att fundera på. Och sedan skulle han dra sig tillbaka, kyssa henne milt på läpparna, vända sig på sidan och somna.

Han avvek aldrig från den rutinen. Och aldrig hade han heller misslyckats med att föra henne till klimax. Ganska egendomligt, reflekterade Gabrielle.

Kranen i badrummet stängdes av. Hon hörde locket på tvättkorgen stängas en gång till, vilket signalerade att de störande strumporna hade åkt av, och sedan släckte han lampan.

Hans andedräkt luktade mint när han kysste henne. Tungan rörde sig så hemtamt i hennes mun som en gammal älskare som tar för givet att han är välkommen. Och visst var det välkommet, tänkte Gabrielle, välbekant och lugnande och tröstande. Ingen lössläppt brottning mellan tungorna, inga djupdykningar, inga bett. Bara de mjuka och behagliga smekningarna tunga mot tunga. Hennes bröstvårtor hade redan styvnat när han böjde sig ner och tog först det högra bröstet och sedan det vänstra i munnen.

Hennes klitoris svällde i väntan på den sedvanliga kontakten med hans läppar, och hon kände att hon blev våt. Med ena handen strök hon honom över ryggen i de långa smekningar hon visste att han tyckte om, medan hennes kropp föll in i de välbekanta rytmer som förebådade att orgasmen närmade sig.

Det hela påminde om att se en gammal favoritfilm. Man kunde alla replikerna i förväg men uppskattade ändå dialogen och handlingen, medan man var tryggt medveten om hur det skulle sluta. Det fanns ingen nervpirrande spänning, ingen kittlande förväntan, bara en säker vetskap om utgången.

Hennes bröst var svullna när han övergav dem och makade sig ner över hennes kropp. Han särade på hennes könshår och blottade klitoris med en vana som kom sig av långvarig övning. Omedelbart tog han den lilla knoppen i munnen.

Det kanske berodde på att alltsammans var så välbekant och förutsägbart, eller på den flitiga uppmärksamhet han ägnat åt hennes erogena zoner, men orgasmen som översköljde henne var helt uppslukande, våldsammare än någon hon hade upplevt tillsammans med Leo.

Förstummad sjönk hon tillbaka mot kuddarna när han rätade på sig och trängde in i henne.

10

Nästa dag i Chateau Marais sveptes alla underliggande spänningar undan av den förintande, skräckinjagande kraften i Alexei Racines raseri.

Gemma hade legat sömnlös och vridit sig halva natten och försov sig på morgonen. När hon kom skyndande över gravplatsen mot det gamla kärntornet hörde hon på långt håll hans röst ur tornets grottliknande innandöme. Ljudet var så skrämmande hotfullt att hon tvärstannade bredvid en lutande gravsten.

"Hur vågar du!" Hans välbekanta, vackra röst var förvrängd av ett ursinne så mäktigt att det fick luften att dallra. Gemmas hjärta bultade hårt, och hon visste att hon borde skynda sig in, men hon blev stående som om hans ekande stämma hade gjort henne förlamad. Det var samma röst som hon hört den där natten i forngraven, men nu var den fylld av ett dödligt gift.

Rör på er! befallde hon sina ben. Något förfärligt höll på att hända bara några meter bort, men hon var oförmögen att lyfta fötterna.

När hon äntligen hade tvingat sig in i tornet möttes hon av en skräckinjagande syn. Racine hade tryckt upp aktören som spelade Dracula mot den tjocka stenväggen och höll händerna om hans strupe. Resten av teamet stod som förlamade av fasa.

Hans vrede tycktes uppfylla hela atmosfären. Gemma höll paniken stången och kämpade för att tänka klart. De höll på med den sista stora scenen, där Jonathan Harker konfronterar Dracula med ett kors och en träpåle. Det var meningen att Dracula skulle förkroppsliga den desperata livskraften hos ett inringat rovdjur, hos en odödlig som hotas av döden.

Men den urkraften verkade nu i stället komma från Racine.

Skådespelaren som hade Draculas roll var lika blek som ett av sina mytiska offer, och det såg ut som om han försökte försvinna in i väggen. I den stunden tycktes Racine ha antagit vampyrens legendariska skepnad, fått hans överväldigande kroppskrafter, hans outtömliga energi, hans ödesdigra makt.

Gemma hostade lätt och hörde hur nervöst och insmickrande det lät. Deras blickar möttes.

Hans ögon blixtrade. Plötsligt såg hon för sig boken som Racine hade läst under bilfärden från Paris – Stokers beskrivning av Dracula:

"Aldrig hade jag kunnat föreställa mig en sådan vrede och ett sådant raseri, inte ens hos helvetets demoner. Hans ögon sköt blixtar. De lyste med en röd glöd, som om själva helveteselden flammade innanför dem. Hans ansikte var dödsblekt och linjerna som hårt spända trådar. De tjocka ögonbrynen som möttes över näsroten var som en gungande, vitglödgad metallstång."

Just sådant var Alexei Racines ansikte i den stunden.

För ett ögonblick såg de på varandra. Hon hade alltid tänkt på hans ögon som kalla. Men nu brände de som kolsyreis.

Med en snabb, häftig rörelse släppte Racine mannen, som sjönk ner på knä.

"Ta hand om det här", fräste han åt Gemma och stegade ut ur rummet.

228

Alla förblev orörliga, vågade inte ens dra en lättnadens suck. Det var samma kusliga stillhet som i stormens centrum, det bedrägliga lugnet i orkanens öga. Till slut bröts tystnaden av Gemma.

"Vad hände?" frågade hon och satte sig ner på det stenlagda golvet.

Jane, hennes produktionsassistent, lösgjorde sig från Racines svarta läderkotteri och fnittrade nervöst.

"Ja, du vet George?" började hon gällt.

"George?" upprepade Gemma oförstående.

"George, ja. Vlad. Greve Dracula." Jane gestikulerade mot skådespelaren som fortfarande satt hopkrupen vid väggen och masserade sin strupe.

"Okej", sa Gemma hurtigt.

"Jo, du förstår, George är kommunist", sa Jane med ett ostadigt skratt.

"Jaha?" Gemmas irritation avspeglade sig i hennes röst.

Jane gjorde ett försök att ta sig samman. "Jo, han kom med en ny tolkning. En marxistisk vinkling, liksom. När vampyren ser korset reagerar han alltså mot den organiserade religionen som sådan. Det där med opium för folket, du vet?"

Nu började Gemma ana vad det hela rörde sig om.

"Och André ...", fortsatte Jane.

"André?" avbröt Gemma, besluten att få klarhet i alla detaljer.

"Jonathan Harker", förklarade Jane. "Killen som har ihjäl greven."

"Okej."

"George, jag menar Dracula, tyckte att André – nej, jag menar Jonathan – var en sorts symbol för det kapitalistiska förtrycket, va?"

"Det kapitalistiska förtrycket?" ekade Gemma matt.

"Precis. Så i går kväll fick han en snilleblixt. I stället för att gripas av djuriskt raseri skulle han debattera med André, jag menar Jonathan, liksom förhandla, va? Skingra de gamla myterna och ..."

"Och du visste om det här?" avbröt Gemma sansat.

"Hm ... njaa ..." Jane slokade skamset med huvudet. "George hade en så fin mezcal, förstår du. Från Mexico. Och vi drack allihop, och det verkade som en riktigt bra idé ..."

"Just då", avslutade Gemma åt henne och nickade. Hennes tankar hade klarnat. Det var lönlöst att försöka rädda något av dagens inspelning. Racine var alltför ursinnig för att ens tänka på omtagningar, och förresten vågade hon inte komma i närheten av honom. Och Dracula, eller George eller André eller vad han nu hette, var alltför uppskakad för att kunna agera övertygande som något annat än ett kuvat offer. Allihop verkade faktiskt bleka och skärrade och stod och tryckte tätt ihop i den kylslagna grottkammaren.

"Då så." Gemmas röst ekade onaturligt. "Det får räcka för i dag. Vi tar en oplanerad semesterdag. Och ingen övertidsersättning när vi sedan tar igen den förlorade arbetstiden, eller hur?"

Ett instämmande mummel hördes. Det om något visade hur skrämmande Racines vrede hade varit. Fackets stadgar var annars Den heliga skrift för kameramännen, och de skar hellre av sig pulsådrorna än avstod från övertidsbetalning.

Men nu hördes inte en enda protest. Långsamt samlade de ihop sin utrustning och samtalade viskande med varandra. Gemma tänkte att ingen makt i världen skulle kunna förmå henne att närma sig Racine när han var på detta humör. Drömälskare eller regissör från helvetet – hon visste när det var bäst att låta saker och ting vara.

"Jane", sa hon ganska skarpt till den bleka gestalten vid sin sida. "Ni drack väl den där smörjan allihop? Och alla tyckte att den nya tolkningen var en bra idé?"

"Hmm, ja, ungefär", erkände Jane med liten röst och kröp ihop inuti sitt svarta läderställ.

"Starka grejor, alltså", anmärkte Gemma.

"Jaa", sa Jane beklagande.

"Finns det något kvar?"

Hon följde efter filmbolagets skåpbil till Carnac i den silvergrå Jaguaren. Hon kände sig slö och apatisk, som om Racines vrede hade bedövat alla hennes sinnen. För en gångs skull var hon omedveten om tjusningen i att ha herraväldet över den starka bilmotorn.

Det var en dämpad grupp som samlades i Janes rum. De drack öl och samtalade förstrött. Mellan dem hade en sorts band bildats, som om de var de enda överlevande efter en naturkatastrof och nu höll på att vakna till medvetande om vad som hänt. Någon satte på radion, och tonerna från en melankolisk fransk ballad fyllde rummet. Ett fönster öppnades för att vädra ut den tätnande cigarrettröken.

Gemma satt på golvet med korslagda ben, lutad mot väggen, och drack öl ur en burk. När hon såg sig om i rummet fick hon lite dåligt samvete. Där fanns en dubbelsäng med gammalmodigt överkast, två svällande, plommonlila fåtöljer, ett repigt skrivbord och en ganska suddig akvarell av Pont du Gard ovanför sängen. Rummet var en skriande kontrast till hennes lyxiga svit i slottet. Å andra sidan fanns här en hemtrevlig, ombonad atmosfär som saknades i Chateau Marais.

Jane satt inklämd i en fåtölj tillsammans med en av Racines androgyna, svarta lädermedhjälpare. Fyra av filmarbetarna hade lagt beslag på sängen, ännu en av Racines varelser hade brett ut sig i den andra fåtöljen, och resten höll liksom Gemma till på golvet. Ingen av skådespelarna var med. Tydligen föredrog de att slicka sina sår i avskildhet.

Gradvis sänkte sig ett dimmigt lugn över sällskapet. Fler ölburkar öppnades och det började bli hett i rummet. Gemma såg hur den smala figuren bredvid Jane reste sig och tog av sig skjortan. Varelsen var av manligt kön, upptäckte hon till sin lättnad. Bringan var vit och hårlös och nästan plågsamt mager med utskjutande revben. Men det fanns något fängslande hos den utmärglade gestalten, något intensivt fysiskt i kroppens skelettartade form.

Hennes blick gled till hans höfter. Bäckenbenet avtecknade sig tydligt genom de åtsittande, svarta skinnbyxorna. Förstrött föreställde hon sig honom naken med benstommen tydligt framträdande genom huden, hur han famnade en kvinna så att kroppens hårda kantigheter grävde sig in i hennes hull.

Någon hämtade mer öl och mat från en kinesisk restaurang. Gemma satte i sig en vårrulle och några revbensspjäll och torkade av sina flottiga fingrar på en pappersservett. Det var nästan ingen som pratade.

Den svarta lädergestalten i den andra fåtöljen lämnade rummet, och Gemma övertog sittplatsen. Hon kurade ihop sig på de svällande dynorna som ännu var varma efter personen som suttit där innan.

Hon kände sig skönt uttröttad, så slö och letargisk att hon knappt orkade röra sig. De tunga ögonlocken sjönk långsamt ihop och hon somnade.

Hon vaknade av de rytmiska ljuden från ett älskande par. När hon sömndrucket slog upp ögonen fastnade blicken på en naken, skelettliknande manskropp som låg på sängen. Hon kunde inte se kvinnan som låg under honom. Han rörde sig långsamt och stötte försiktigt med höfterna. Hon såg musklerna spela på den utmärglade ryggen, såg skinkorna spännas för varje stöt, såg hur han samlade sig inför den annalkande utlösningen.

Det började pirra i hennes kropp, ett instinktivt gensvar på den inspirerande scen hon hade framför ögonen.

Hon tyckte sig flyta med i hans rörelser, delta i varje stöt, uppleva den heta pulsen och känslan när han borrade sig in i kvinnans sköte.

Hon kunde nästan känna hans penis, den blinda kraft som drev den hårda pelaren in i det mjuka, våta boet. Hennes eget sköte blev tungt och fuktigt medan hon såg honom röra sig, såg honom öka takten, driva på hårdare och snabbare.

Hans kropp började rycka i spasmer, men han fortsatte att borra sig in mellan kvinnans lår. Gemma kände anspänningen i sin egen kropp, kände hur den blodfyllda explosionen nalkades.

Tyst reste hon sig ur fåtöljen och smög därifrån. Det verkade inte rätt att stanna kvar.

I en egendomlig stämning körde hon tillbaka till slottet, både upphetsad och nervös. Nervositeten skärpte hennes fysiska medvetenhet, gjorde henne mer uppmärksam på kroppen, på den sjudande eggelse som ilade under huden.

Hon lämnade nycklarna i Jaguaren och gick uppför den massiva stentrappan till porten. Den öppnades, men inte av Henri utan av Leo själv.

"Åh, Gemma, var det bara du", sa han olyckligt.

"Ja. Jag har varit i Carnac med personalen, och ..."

"Jag trodde att det var Alexei", avbröt han tankspritt. "Han stormade ut för flera timmar sedan.

Aldrig har jag sett honom på ett sådant humör. Vad har egentligen hänt?"

Han tog henne med sig in i den gyllene salongen och bjöd henne att sätta sig i en brokadsoffa.

"Vi hade lite problem med en rolltolkning", förklarade Gemma och berättade om scenen i tornet samma morgon.

"Hur kunde en marxistisk vampyr göra honom så upprörd?" frågade Leo som stod och fumlade vid drinkvagnen. "Det är ju ofattbart! Vad vill du ha att dricka?"

"Ingenting, tack. Jo, kanske lite vatten." Gemma hade blivit törstig efter kinamaten.

"Champagne alltså", sa Leo frånvarande och tog en flaska Cristal ur ishinken. "Det släcker törsten och är nyttigare än vatten. En marxistisk vampyr", upprepade han och skakade på huvudet. "Jag har aldrig sett honom så arg."

Champagnen smakade ljuvligt, som en iskall, uppfriskande kyss i strupen.

"Hans humör är ju beryktat", kommenterade hon när Leo kom och satte sig bredvid henne.

De satt tysta en stund och läppjade på champagnen.

"Det här börjar likna rena folkvandringen", sa Leo så småningom. "Alexei störtar i väg … Jay for till Paris i morse … och Gabrielle …" Han lät modfälld när han uttalade hennes namn.

"Jaså?" sa Gemma snopet. Hon hade inte vetat att Jay var borta. Det gjorde henne lättad och ledsen på samma gång. "Alexei kommer nog tillbaka snart."

Och så snart hon hade uttalat orden visste hon att det var sant. Han skulle snart vara tillbaka, alltjämt lika ursinnig, och vilja avreagera sig på hennes kropp. Han skulle ta henne i mörkret och tystnaden, i förhärjande raseri och lusta. Det kände hon på sig.

Ett omedvetet småleende krusade hennes läppar.

"Oroa dig inte, Leo", sa hon lugnt. "Allt kommer att ordna sig."

"Jag är inte alls orolig", sa han med något av sin vanliga högdragenhet. "Bara en smula ur gängorna."

Hon var tvungen att skratta åt hans försök till oberördhet, och efter ett tag stämde han in med ett skrockande.

"Nå, allt är väl inte förlorat", sa han filosofiskt. "Och i morgon kommer min Degas", tillade han och ljusnade märkbart.

Någonting i hans blick förändrades. Hon kände det lika tydligt som kristallglaset mot läpparna, den tjocka brokaden mot kroppen.

"Tycker du om Degas?" Hans blick gled längs hennes ben som en smekning.

"Ja, mycket." Gemma reste sig en smula osäkert.

"Vi kanske kan diskutera det vid middagen", sa han och reste sig också.

"Jag är faktiskt väldigt trött", svarade hon undvikande, drog sig bakåt och ställde ifrån sig glaset. "Kan jag få en bricka till mitt rum?"

"Naturligtvis. Jag ska säga till Henri."

Hans blick var fäst på hennes ben när hon lämnade rummet.

Ensam i sin svit klädde Gemma tankfullt av sig, slängde kläderna i en elegant korg i guld och vitt och tappade upp vatten i badkaret. Röklukten hade bitit sig fast i hår och kläder, och hon ville ersätta den med någon av de parfymerade oljor som stod uppradade på marmorhyllan.

Prövande luktade hon på flaskorna. Frisk citrondoft, rökigt sandelträ, tung rosenparfym, exotisk vit myskarom ... Inget verkade passa. Till slut fann hon en fräsch doft som frammanade bilder av vårregn på grönt gräs, och den hällde hon i vattnet.

Länge låg hon i det heta, parfymerade badet och njöt av sin förväntan, av vetskapen om att han snart skulle komma till henne, driven av sin vrede. Hon ifrågasatte inte hur hon kunde veta det, hon visste det bara.

Omsorgsfullt rakade hon benen, som kändes hyperkänsliga under rakhyveln, och schamponerade håret två gånger. När hon torkade sig tyckte hon att huden utstrålade den särskilda glöd som bara ett långt, parfymerat bad kan ge.

Den sträva handduken gav en skön massage och en pirrande medvetenhet genomströmmade henne, välbefinnandet i att känna sig ren och förväntansfull inför nya sensuella upplevelser. Hon hittade en burk hudkräm med samma doft som hon haft i vattnet och smorde in sig med den.

Medan hon masserade tårna reflekterade hon över att proceduren med att bada och göra sig i ordning fick en extra udd av vetskapen om att hennes fräscha kropp snart skulle ligga under hans. Det var som om alla hennes rörelser blev till ett förspel. Hon gned in hudkräm på insidan av låren och visste att hans mun och hans kuk snart skulle befinna sig där hennes fingrar var nu, och blotta tanken fick hennes sköte att fuktas.

Bröstvårtorna styvnade när hon gned dem med kräm, och i spegeln såg hon brösten svälla och rodna. Hon ställde undan burken och tog ner den vita frottérocken som hängde innanför dörren. Inget smink, avgjorde hon när hon borstade ut håret och lät det falla i lösa vågor nerför ryggen.

Han skulle finna henne precis som han önskade: ensam, sovande, med håret utslaget, helt naturell med undantag av den vårfräscha kroppsdoften. Nöjd med sin uppenbarelse fortsatte hon in i sovrummet.

Medan hon varit borta hade ett bord dukats framför den röda sammetssoffan. På en vit linneduk hade någon lagt fram bordssilver och guldtallrikar. Hon hade väntat sig något i stil med ett fat smörgåsar och beundrade nu de tre vinglasen i kristall, serveringsskålarna med toppiga silverlock och ishinken av silver.

Leende skakade hon på huvudet. Bara för att dra ut på den kulinariska njutningen slog hon upp ett glas av det vita vinet som hölls kallt i ishinken och tittade under skålarnas silverlock. Där fanns kronärtskockshjärtan som glänste i citronsmör, kalvmedaljonger i krämig svampsås, en skål med färska grönsaker och en vit mousse dekorerad med virvlar av mörk choklad.

Vinet var torrt och lite strävt, en perfekt beledsagare till kronärtskockshjärtanas sötma. Gemma åt långsamt och njöt av varje tugga.

Hon kände sig lugn och bekymmerslös. Det var som om hon svävade viktlös i en bubbla av förväntan. Men sinnena var skärpta. Smaklökarna urskilde varje skiftning i köttet som tycktes smälta i munnen, i den syndigt mäktiga, vita chokladmoussen.

Klockan var nästan elva när hon hade ätit färdigt och bad att bordet skulle dukas av. När personalen hade kommit och gått hällde hon upp en liten konjak åt sig, tog av sig badrocken, kröp ner i sängen och släckte lampan.

Hon låg alldeles stilla och väntade, kände hjärtat banka i bröstet, lät nattens förväntan omsluta henne som smekningen från de svala linnelakanen, kände doften från sin nybadade kropp.

Efter midnatt kom han. Hon låg vaken med öronen spetsade mot tystnaden och hörde en dörr öppnas.

237

Sedan hörde hon honom smyga genom rummet, ett dämpat prasslande när något dalade till golvet, och så var han bredvid henne.

Han vände hennes kropp mot sig och trängde genast in i henne i en enda, snabb, förstummande stöt, utan att bry sig om ifall hon sov eller var vaken.

Men det gjorde inte ont. Hennes förväntan hade gjort henne våt och slipprig, och hennes inre tänjde ut sig för att ta emot honom, välkomnade den översvallande känslan av att plötsligt fyllas av honom helt och hållet.

Han rörde sig snabbt och ursinnigt, precis som hon hade vetat att han skulle göra, drev in staken i hela dess längd, begravde den djupt inne i henne och rörde nästan vid livmodermunnen innan han drog sig ur henne fullständigt, bara för att genast komma tillbaka. Händerna höll han under hennes skinkor, öppnade henne, tvingade henne att ta emot honom. Hans lusta var så rasande mäktig att den satte även henne i brand.

Hon ville röra sig, gnida höfterna mot hans, dela det vanvett som drev honom, men han låste hennes underkropp och krossade henne nästan under sin tyngd, dundrade in i henne med förhärjande intensitet. Hennes slida blev öm av de våldsamma stötarna, en ömhet som växte till en brännande, svidande värk.

Det verkade som om han aldrig skulle sluta, som om han aldrig fick nog. Han fortsatte bara med sina ändlösa, djupa stötar som slungade henne mot orgasmens brant, tog andan ur henne och satte alla hennes sinnen i brand. Hon förlorade tidsbegreppet, och omvärlden krympte tills den bara omfattade hans ihärdigt roterande underliv.

Hennes sköte kändes tungt och ömt och blygdläpparna slippriga och svullna. Hon kände det första fladdret i maggropen, de svaga darrningarna när de inre musklerna beredde sig på orgasmen. Då slutade han, begravd djupt inuti henne.

Hans andedräkt svepte het över hennes kind och det håriga bröstet kändes strävt mot hennes.

En plötslig känsla av ömhet fick henne att lyfta handen och röra vid hans ansikte.

Då drog han sig häftigt ur henne och tvingade ner henne framstupa på sängen. Han fattade med ena handen om hennes handleder och höll dem fängslade ovanför huvudet på henne. Så kände hon hur han trängde in i henne bakifrån, drog sig tillbaka och tryckte sin penis mot hennes anus.

Han rörde sig snabbt mellan de två öppningarna, ristade in ett brännande spår på det smidiga, ömtåliga skinnet. Blodet bultade i hennes slida, och som ett eko pulserade det djupt inom henne när musklerna började dra ihop sig i krampryckningar.

Hon stönade högt när hans ollon stötte mot hennes anus och en mörk slinga av upphetsning ormade sig genom henne. Han var het och hård och insmord av hennes vätskor, och när han borrade sig in i den trånga kanalen låg hon stilla, fångad i ett tillstånd mitt emellan smärta och njutning.

Med ollonet inne i henne hejdade han sig. Vagt förstod hon att han väntade på att hon skulle välja. Hon visste att han skulle göra henne illa, att hans lem var på tok för tjock för den trånga, förbjudna tunneln. Men hon greps av en vild djärvhet och lyfte upp stjärten mot honom, manade honom längre in.

Glittrande pilar av upphetsning sköt genom henne när han trängde in, en obruten våg av smärtnjutning. Nu rörde han sig långsamt, gled ut och in med en behärskning som var helt olik den frenesi han gett utlopp åt i början.

Hans tyngd pressade ner hennes underliv så att klitoris gneds mot det svala lakanet, vilket förhöjde känslan av att vara helt uppfylld av honom. Hon uppslukades av en ilande eggelse, av den annalkande orgasmens skälvningar.

På nytt drog han sig tillbaka, och hon lät höra ett lågt rop när den tomhet han lämnade efter sig plötsligt kändes outhärdlig. Sedan kände hon hans läppar glida nerför ryggraden, heta och glupska, och tungan som flyttade sig allt längre ner, och grävde sig in i springan mellan skinkorna och sökte hennes ömmande anus. Med ett hårdhänt grepp öppnade han henne, medan han med munnen upprepade det mönster som hans penis tidigare ritat mellan de två ingångarna till hennes kropp.

Han höll henne på kokpunkten, upphörde inte en sekund med den skoningslösa behandlingen, tillät aldrig njutningen att nå sin höjdpunkt. Varje gång han kände de skvallrande darrningarna i hennes lår ändrade han rytmen. Ömsom hårdhänt, ömsom milt fortsatte han med sin grymt ömsinta tortyr för att dra ut på det hela för dem båda.

Hennes kropp böljade med hans, höjdes och sänktes, strävade mot toppen och hejdade sig igen, överväldigad av den fordrande kraft som styrde den. Hon anade att vreden fortfarande jagade honom när han på nytt fick henne att byta ställning, lade henne på sidan, på ryggen, på magen; samma vrede som fick honom att förlora sig själv i den rasande striden mellan deras kroppar, som nekade dem båda orgasmens renande sköljning.

Han var omättlig, glupsk, till och med när hon märkte att hans vrede hade avtagit och övergått till utstuderad behärskning. Han vände henne på rygg, lutade sig över henne och förde sin penis till hennes ivrigt skälvande läppar.

Hon ville suga in honom djupt och hårt, känna den styva, silkeslena staken långt inne i munnen, låta tunga och tänder utforska dess form, låta munnens mjuka grotta sluta sig om det skoningslösa redskapet, men han drog sig ur och lät sin penis följa konturerna av hennes läppar och ögonbryn.

Han använde sitt heta, bultande ollon som en andra mun, kysste henne med det, strök över ögonfransarna, käkbenen, hakan. Vätskan på tippen vätte hennes läppar, hennes öra, lämnade ett blött spår neråt halsen. Det var som om han ville lära känna hennes kropp, utforska varje tum av hennes hud med sin stake. Han gned den mot hennes bröst, smorde in dem med sin mjölkiga vätska, följde revbenen, tryckte mot naveln som om han ville komma in den vägen, gled ner mellan hennes lår och rörde vid hennes blodfyllda blygdläppar.

Han gungade mot henne i hårda stötar som började vid slidans öppning, förde isär blygdläpparna och slutade vid hennes klitoris. Hon var brännande het, våt och uppsvälld, vild av längtan efter den slutliga, uppfyllande stöten. Men han strök sig längs insidan av hennes lår, kittlade den känsliga huden i knävecken, följde vadernas kurva ner mot fötterna.

Han slöt hungrigt läpparna om en tå och slickade den med samma omsorg som en annan älskare kunde ha ägnat hennes klitoris. Lätt nafsade han i nageln och sög in tån djupt i munnen.

Huden i skrevet och på brösten hettade, som om han lurat hennes kropp till att tro att hans tunga i själva verket stimulerade klitoris och bröstvårtorna.

Och plötsligt var hennes tår lika känsliga som klitoris, lika erogena som bröstvårtorna. Hennes njutning ökade tiofalt när han växlade från den ena tån till den andra. Med händerna masserade han hennes fotsulor och fotvalv, och kramade om hennes fötter med samma fasta rytmiska grepp som brösten trånade efter.

De envetna smekningarna fick hennes klitoris att pulsera och styvna. Behandlingen av fötterna var lika upphetsande som om han hade rört vid hennes kön – faktiskt ännu mer upphetsande.

Hela hennes kropp vibrerade i samklang med hans sugande mun, hans slickande tunga och nafsande tänder. Det gick runt i huvudet på henne, och hon visste att hennes kropp aldrig skulle ha uthärdat denna sensuella tortyr om den inte hade gått i lära hos andra älskare. Hon skulle ha drunknat i orgasmer, förtärts av sin egen upphetsning ... Det var hennes sista sammanhängande tanke. Sedan kunde hon inte tänka över huvud taget.

Han lade händerna om hennes midja, lyfte upp henne och riktade in henne mot sitt underliv. Han höll henne alldeles ovanför den erigerade staken. Genast sjönk hon ner på knä, slöt vaderna om hans muskulösa höfter och lår, sökte det heta organet som redan ristat in sina brännande märken över hela hennes kropp. En lång stund höll han henne stilla, och sedan lät han henne sjunka ner, lät sitt stånd genomborra henne.

Känslan när han trängde in var den mest fullkomliga hon någonsin upplevt. Det var som om han inte bara uppfyllde hennes slida utan hela kroppen. När han rörde sig kände hon honom i magen, i brösten, som om han skulpterade och urholkade henne med sin järnhårda stake.

Instinktivt försökte hon rida honom, finna rytmen, samordna deras rörelser, men han var för stark och stötarna från hans höfter för kraftiga. Det var han som bestämde takten med sina händer, och hans höfter förde henne fram och tillbaka, från sida till sida.

Hennes uppsvällda klitoris strök ideligen mot hans sträva könshår, vilket fick elektriska stötar att löpa ut i varenda nerv.

Och varje stöt tycktes ta andan ur henne. Luften verkade het och tät som sammet, och deras kroppar var hala och slippriga av svett. Det var som om de båda drabbats av en omättlig, köttslig galenskap, uppslukande och ändlös.

När orgasmens första svaga sammandragningar började, de små skälvningarna i hennes muskler som beredde sig att krama den livgivande vätskan ur honom, lyfte han snabbt bort henne och vände henne så att hon låg utsträckt intill hans kropp med munnen mot hans massiva penis.

Hon slöt läpparna kring kukhuvudet och fann den lilla springan med tungan, samtidigt som hans tunga bearbetade hennes hyperkänsliga klitoris.

Det var som om hon upphörde att existera. Pulsarna exploderade i en röd dimma när orgasmens storm äntligen bröt loss och fick hennes kropp att rycka och kasta av och an.

Hon stönade med munnen fylld av hans penis, vred sig mot hans ivrigt arbetande tunga, medan orkanens öga sög in henne i en malström av bländande solar som exploderade djupt inom henne. Hennes kropp slets itu av kramper, medan hon själv svävade ovanför alltsammans, inbäddad i den röda dimman.

Så småningom ebbade stormen ut och flöt samman med de lugna efterdyningarna i hennes kropp. Den vitglödgade hettan förvandlades till en mild och dåsig värme.

Halvt medvetslös efter den våldsamma urladdningen låg hon helt orörlig och andades knappt, märkte nästan inte när han flyttade sig och deras slappa kroppar skildes åt.

Någonting återkallade henne till verkligheten. En månstrimma skymdes av hans gestalt. Morgonrocken han släppt på golvet frasade när han tog upp den.

Hon öppnade ögonen och såg honom för en sekund i siluett mot månskenet som flöt in genom fönstret och spelade över hans ljusa hud, över hans mörka hårväxt. Han var så maskulin, så vacker, så djurisk, att det inte skulle ha förvånat henne om han plötsligt hade antagit formen av en slank och smidig varg eller en flaxande fladdermus.

Han drog just om sig den svarta morgonrocken när hon tog till orda.

"Väl mött eller illa mött i månsken, Alexei?"

Hon såg honom stelna till. Orden hade kommit till henne från ingenstans, ett förvrängt citat från Oberon till Titania, men det fanns inget annat som mer fullkomligt uttryckte ögonblickets drömlika overklighet. Kanske hon höll på att utveckla ett sinne för ironi när allt kom omkring.

Han stod blickstilla, och det gick upp för henne att det var första gången hon yttrat hans namn i hans närvaro. Det var det som hade chockerat honom.

"Och varför alltid i mörkret, utan ord?"

Hennes röst lät klar och ren. Aldrig skulle hon ha vågat ställa sådana frågor om hon inte tyckt sig skyddad i en hamn av uttömd lusta, en atmosfär som tillät sådana ord.

"Det kanske var filmen", sa hon prövande. "Blev du demonälskaren för att kunna förstå honom, komma honom nära?"

Han hade rest sig från sängen i tro att hon sov. Nu stod han orörlig, synbart skakad över att höra hennes röst, höra sitt namn från hennes läppar.

"Rena Stanislavsky", retades hon med en arrogans som hon aldrig trott sig om att kunna uppbåda.

Han böjde sig ner för att ta upp morgonrocken som glidit ur hans grepp. Och när han talade var hans röst det metalliska piskrapp hon hade kommit att avsky.

"Jag har gett dig något som du inte ens visste att du ville ha, Gemma de la Mare."

Han vände sig om och drog rocken omkring sig, och för ett ögonblick lekte månstrålen på hans penis, som fortfarande stod rakt ut, hård och oförlöst.

"Ta det som den gåva det är."

Deras ansikten låg i mörker. Om Gemma hade sett sina egna ögon, kallt lapisblå och stenhårda, hade hon inte känt igen sig själv. Om hon hade sett Racines ögon, vars livlösa silvergrå färg nu flammade av någon oidentifierbar känsla, skulle hon inte ha känt igen honom heller.

"Men varför?" sa hon till slut.

Han stod tyst så länge att hon undrade om han tänkte svara.

"En gång erbjöd jag dig en färd till vampyrens hjärta", sa han till sist sakta. "Jag sa att du inte hade något val. Och det har ingenting, eller i alla fall väldigt lite, med filmen att göra. När livet härmar konsten blir resultatet en besvikelse, oundvikligt och förutsägbart. Men slutet är alltid början, precis som hos Hesiodos orm."

Hans röst var lågmäld och föraktfull. Bara på grund av det förstod hon att vreden ännu inte hade släppt taget om honom.

Fortfarande skyddad av eftervärmens osårbara kokong reste hon sig och gick fram mot honom. Sedan gjorde hon något hon aldrig någonsin kunnat drömma om att hon skulle göra.

Hon lade armarna om hans axlar och kysste honom på munnen.

245

Han lät höra ett kvävt ljud som kunde ha varit ett stön eller en svordom. Så drog han isär rocken och förde in sitt stånd mellan hennes ben. Hon stod orörlig när han fyllde henne, stod orörlig och kände lemmen pulserande tömma sig inuti henne.

Och sedan, precis som hon hade väntat sig, drog han sig ur och gick därifrån.

11

Två veckor senare var filminspelningen vid slottet nästan klar. Skådespelaren som hade Draculas roll hade övergett sina marxistiska principer och lyckats uppbåda ett storslaget och skräckinjagande raseri, kanske inspirerad av Racine själv. Renfield vägrade fortfarande att äta spindlar men hade i alla fall låtit några få utvalda, håriga exemplar kräla över läpparna, en kompromiss som Racine tycktes vara nöjd med. Och Minas utslag hade försvunnit.

Stämningen i det gamla tornet hade fångats på pricken med sitt trolska vinterljus, som nu höll på att övergå i värmande vår. Några djärva, blekgröna knoppar spirade redan på de kala grenarna på trädet som lutade sig över gravstenarna, och numera förebådades gryningens ankomst av sömnig fågelsång. Långsamt vaknade jorden till grönskande liv, en förändring som Alexei Racine tycktes betrakta med kallt förakt.

Han höll ett fast avstånd mellan sig och de andra, ett avstånd som på något sätt var mer skrämmande än hans ursinne. Han var hövlig mot filmarbetarna, vilket oroade dem; omtänksam mot skådespelarna, vilket skrämde dem; och han behandlade Gemma med en kylslagen artighet som under andra omständigheter säkert skulle ha förvirrat henne.

Men helt oåtkomlig var han inte. Hans androgyna medhjälpare hade slutit leden och kretsade alltid nervöst och beskyddande i hans närhet som en svart lädersköld. Det började gå upp för Gemma vilken effektiv isolering denna livvakt utgjorde.

I själva verket var Racine ursinnig på sig själv. Det var han och ingen annan som hade fördärvat den noggrant planlagda förförelsen genom att låta sig överrumplas i slutet.

Hon hade uttalat hans namn.

Kysst honom på munnen.

Fått det att gå för honom inne i hennes kropp.

Innan han var redo.

När han hört henne säga hans namn hade han varit helt oförberedd, och han hade heller inte väntat sig att få känna hennes läppar mot sina. Han hade blivit skakad av kraften i den orgasm han fått av att tränga in i henne.

Det var häpnadsväckande.

Oplanerat.

Det stod inte i manus.

Det vände uppochner på hela det förförelseschema han så omsorgsfullt hade gjort upp ända sedan första gången han såg henne, den där natten för så länge sedan, när hon hade strövat omkring i utkanterna av slottets område.

Det trotsade den machiavelliska labyrint han hade planlagt så noga och så skickligt.

Rena Stanislavsky, hade hon gäckande sagt med en röst som kunde ha varit hans egen.

En röst som var sval, ironisk och inte förrådde några känslor. En röst som var ett vakuum. En röst som kunde ha tillhört honom.

Hon hade lärt sig för snabbt och för bra.

Han var inte säker, men han trodde att han hatade henne för det.

Gemma var starkt medveten om underströmmarna men kunde inte tolka dem, så hon fortsatte att arbeta med precisionen hos en robot som skapats särskilt för uppgiften. Hon kontrollerade allting flera gånger, höll efter filmarna och teknikerna, drev på, berömde och grälade, såg till att varenda nödvändig tagning var avklarad och varenda detalj fångad innan de skulle ge sig av.

Och hela tiden, i varje vaket ögonblick, ägnade hon varje medveten tanke åt att försöka reda ut Racines motiv och sina egna, förvirrade känslor.

"Jag har gett dig något som du inte ens visste att du ville ha." Orden han uttalat med den sträva, vackra röst hon avskydde, hade etsat sig in i hennes själ. Han hade drivit henne – nej, rättade hon sig med ett leende – lotsat henne genom en märklig, erotisk odyssé, arrangerat en sensuell resa som hon aldrig skulle ha företagit på egen hand.

Nu kände hon sig fri, fri att bedöma och utvärdera, och hennes tankar dröjde vid Gabrielle och Leo, vid Jay Stone, letade sig tillbaka till Nicholas Frere och ändå längre bakåt till Pascaline och Jean-Paul. Men de återvände alltid, ofrånkomligen, till Alexei Racine.

På grund av honom hade hon upptäckt en sida hos sig själv som hon annars kanske aldrig skulle ha funnit. Det var inte det att hon hade förändrats, för det hade hon inte. Hon hade helt enkelt blivit bekant med en annan Gemma, en sensuell, sexuell, ohämmad och erotiskt vågad Gemma som kunde hänge sig åt köttsliga förlustelser medan hon ändå bibehöll den inrotade, järnhårda självkontroll som tillät henne att utföra ett gott arbete i den neurotiska och mansdominerade filmvärlden.

Antagligen skulle hon aldrig få klarhet i vad som hade förmått Racine att iscensätta det sällsamma händelseförloppet. Kanske han inte ens visste det själv.

249

Ändå var det inte en rent fysisk affär, som Gabrielle hade påstått sig ha med Leo.

Förstrött försökte hon tänka sig in i Gabrielles situation, fysiskt fångad men intellektuellt avskild, en emotionell isolering som tillät henne att styra sin egen besatthet och Leos snedvridna lustar till ett så egendomligt men ändå tillfredsställande slut. Tanken var ganska tilltalande.

Hon tänkte på Jean-Paul och Pascaline, och deras fria syn på sexualiteten, en öppenhet som hade fört dem fram till incidenten bredvid de grekiska statyerna, där Pascaline hade fått orgasm med en främling vid sina bröst medan hennes make tillfredsställde henne bakifrån, och hon fann det ännu mer tilltalande.

Utan Alexei Racines provocerande påverkan skulle hon aldrig ha inlett historien med Nicholas Frere, aldrig ha fått erfara hans lekfulla sätt att älska. Hon försökte föreställa sig Nicholas och sig själv tillsammans med en annan man, en annan kvinna, men det gick inte.

Jay, kanske. Ja, säkert Jay. Men det fanns något alltför solitt över Jay, något alltför … respektabelt? Amerikanskt? Han kunde låta sig dras in i en situation om scenariot sattes upp för hans räkning, men han skulle aldrig experimentera av upptäckarlusta. Han var alltför väl medveten om att han kunde bli bränd.

Och det var på sitt sätt också tilltalande.

Men allting förbleknade inför Racines mörka, odefinierbara lockelse. Han hade verkligen gett henne något hon inte vetat att hon ville ha. Hon mindes hur hon hade känt sig morgonen efter natten i forngraven. Då hade hon trott att alltsammans hade varit en dröm och fnissat åt "det knapplösa knullet". Den ultimata kvinnliga fantasin: inga ord, ingen skuld, ingen kvävande känslosamhet – bara drömsex rätt och slätt.

Varför hade hon då utmanat honom, retat honom med Stanislavsky och Shakespeare, försökt dra fram i dagsljuset något som hörde hemma i det ordlösa mörkret?

Precis som den dåraktiga Psyche hade hon lockats att tända ljuset och betrakta den sovande guden.

Men hon hade gjort det med ord.

Med en kyss.

Med kall beräkning övervägde hon framtiden. Nu när Alexei kontrollerade Horror Inc kunde det inte annat än främja hennes karriär. Hon hade alltid varit för stolt, för medveten om sitt värde, för att falla för frestelsen att gå sängvägen till toppen. Men hon var tillräckligt ärlig mot sig själv för att medge att den här kärlekshistorien, om det nu kunde kallas så, erbjöd en hel del unika möjligheter.

Och mannen fascinerade henne. Arrogant, bångstyrig, gåtfull – det kanske aldrig gick att komma honom inpå livet. Hon behövde bara titta på filmbitarna för att se hans mörka genialitet, den talang som hade frambesvärjt en Dracula som var lika betvingande som vilken Hamlet eller Lear som helst.

Länge funderade hon på Hesiodos orm, som slingrade sig kring världen och slukade sin egen stjärt.

Den sista kvällen de var kvar i Bretagne beslöt hon att gå till forngraven.

Hon väntade till midnatt. Det var egentligen på tok för kallt att gå hela vägen iförd endast en tunn, vit sidenklänning, men hon kände knappt kylan som bet i skinnet.

Han var redan där, precis som hon hade vetat.

En tändsticka flammade upp.

Racine hade väntat på henne. Raseriet som gripit honom när han var som svagast hade hårdnat, lagt ytterligare ett lager till det iskalla skal som omslöt honom. Eftersom det tydligen var ord hon behövde skulle hon få det. Ord som han egentligen aldrig hade avsett att yttra, ord som han heller aldrig skulle ha uttalat om hon inte hade kommit till forngraven vid midnatt.

Hon såg den röda glöden från en cigarrett.

Han höll tändstickan mellan fingrarna och lät det svavelgula skenet lysa upp hans ansikte.

Hon såg på hans ögon, djupt liggande, mörka och outgrundliga, de markerade kindbenen, örnnäsan, rovdjursmunnen med den sensuellt krökta underläppen och den smala, grymma överläppen.

Så lutade hon sig närmare och blåste ut tändstickan.